Achim Schmidt

Moderne Polizeifahrzeuge in Deutschland

Achim Schmidt

Moderne Polizeifahrzeuge in Deutschland

POLIZEI

Motor buch Verlag

Seite 2/3:
Heckansicht auf ein Boot der Wasserschutzpolizei NRW aus der Serie
»Rheinstreifenboot 2000«. Alle Boote sind mit Ex-Schutz und Einmannfahrstand
ausgestattet. Als Maschinen kommen zwei MTU 6R 183 TE mit je 370 kW / 502 PS
zum Einsatz, die den 22 t schweren Booten eine Höchstgeschwindigkeit von
45 km/h erlauben. Die Maße (Länge/Breite/Tiefgang) werden wie folgt angegeben:
17,75 m / 4,53 m / 1,20 m.

Einbandgestaltung: Dos Luis Santos
Titelbild: Unter Verwendung von Fotos aus dem Buch.

Bildnachweis:
Siehe Bildnachweis Seite 239.

Eine Haftung des Autors oder des Verlages und seiner Beauftragten
für Personen-, Sach- und Vermögensschäden ist ausgeschlossen.

ISBN 978-3-613-02857-9

1. Auflage 2008

Copyright © by Motorbuch Verlag, Postfach 10 37 43,
70032 Stuttgart.
Ein Unternehmen der Paul Pietsch Verlage GmbH + Co.

Sie finden uns im Internet unter www.motorbuch-verlag.de

Lektor: Joachim Köster
Innengestaltung: KoKo Produktionsservice s.r.o.
Druck und Bindung: KoKo Produktionsservice s.r.o.,
709 00 Ostrava
Printed in Czech Republik

Inhalt

Mercedes-Benz 911 – Lichtmastkraftwagen (LimaKw) der Bereitschaftspolizei Sachsen. Dieses bereits 1973 gebaute Fahrzeug wurde seinerzeit nach der Wende vom Bundesgrenzschutz (BGS) übernommen und versieht auch heute noch zuverlässig seinen Dienst.

Vorwort

Ganz absichtlich befasse ich mich in diesem Buch nicht nur mit den Polizeifahrzeugen im herkömmlichen Sinne. Heutzutage sorgt schließlich nicht nur die POLIZEI für Sicherheit und Ordnung in Deutschland. Auch ist sie nicht alleine tätig, um notwendige Kontrollen beispielsweise auf Straßen, Plätzen, Baustellen, Gaststätten und sonstigen Orten durchzuführen oder Unfälle zu untersuchen. Täglich können wir den Fahrzeugen dieser verschiedenen Behörden und Organisationen begegnen, die sich diese Aufgabe teilen, bzw. sie in unterschiedlichen Zuständigkeiten wahrnehmen. Natürlich gehe ich in diesem Buch nur auf die für »Blaulichtautofans« interessanten Fahrzeuge ein, nicht etwa auf solche von Bau-, Veterinär- und sonstigen Ämtern, die ebenfalls in diese Kategorie passen würden. Auch die Sparte der Feuerwehr- und Rettungsfahrzeuge wird von anderen Büchern behandelt.

Der vorliegende Band kann dem interessierten Leser lediglich einen Überblick über die Vielzahl der aktuell in Deutschland eingesetzten Dienstfahrzeuge von den Sicherheits- und Ordnungsbehörden geben, keinesfalls kann und will es Anspruch auf Vollständigkeit erheben, weder im Text-, noch im Bildteil.

Sollten einige Leser also das ein oder andere Fahrzeug in diesem Buch vermissen, dann liegt das einfach daran, dass es mir eben nicht gelungen ist, Bildmaterial davon zu bekommen, das ich auch hätte veröffentlichen dürfen.

Auch kann ich nicht ausschließen, dass sich hier und da sachliche Fehler eingeschlichen haben könnten. In diesen Fällen wäre es für eine eventuelle Neuauflage dieses Buches hilfreich, wenn mir der aufmerksame Leser diese melden würde. Überhaupt bin ich für jeden Hinweis, jedes Foto und jeden Erfahrungsaustausch mit anderen Gleichgesinnten dankbar und stehe dafür jederzeit zur Verfügung. Eine Kontaktaufnahme mit mir über den Verlag ist immer möglich!

Für die teilweise wirklich großzügige Unterstützung mit Bild- und Datenmaterial seitens der verschiedenen Polizeibehörden und Archiven sowie den vielen Kollegen und Freunden muss ich mich hier ganz herzlich bedanken.

Wer viele Tabellen mit technischen Daten erwartet, der wird sie in diesem Buch leider vergeblich suchen. Ich habe bewusst darauf verzichtet, den Leser mit technischen Details der verschiedenen Fahrzeuge zu überschütten. Da es sich bei den vorgestellten Dienstfahrzeugen größtenteils um handelsübliche Modelle handelt, deren Daten in den einschlägigen Publikationen mühelos zu erfahren sind, besteht hierzu auch keine Notwendigkeit. Angaben zur polizeitechnischen Ausstattung, zu Funkrufnamen oder sonstigen polizeitaktischen Informationen, deren Bekanntgabe die Erfüllung polizeilicher Aufgaben erschweren könnte oder die aus anderen Gründen einer Geheimhaltung unterliegen, sind daher hier nicht zu finden.

Auch wenn manche Fahrzeuge aus anderen Büchern schon bekannt sein mögen, glaube ich doch noch interessantes Material gefunden zu haben und es hiermit einem breiten Publikum näher bringen zu können. Insofern möchte ich mit diesem Buch die vorangegangenen Veröffentlichungen nicht ersetzen, sondern allenfalls ergänzen.

65719 Hofheim am Taunus,
im November 2006

Achim Schmidt

Opel Astra A des Ordnungsamtes Düsseldorf. Auch hier sind Bestrebungen im Gange, das Ordnungsamt umzubenennen. Über die künftige Bezeichnung besteht aber noch keine Klarheit.

Die Ordnungsämter der Städte und Gemeinden und ihre Aufgaben

Die Ordnungsämter unterstehen – als allgemeine Polizeibehörde – den (Ober-) Bürgermeistern in den jeweiligen Städten und Gemeinden und sind demnach kommunale Einrichtungen. Die Aufgaben unterscheiden sich hierbei in den verschiedenen Bundesländern und innerhalb dieser auch wieder von Stadt zu Stadt.

Das Ordnungsamt ist eine Polizeiverwaltungsbehörde mit der Aufgabe, die Sicherheit und Ordnung im gesellschaftlichen Miteinander, also innerhalb einer Gemeinde, sicherzustellen. Dazu gehören u.a. sowohl das Einwohnermeldewesen als auch die Verkehrsüberwachung und die Bußgeldstelle. In vielen Gemeinden, Städten und Landkreisen zählen auch die Ausländerbehörde, das Gewerbeaufsichtsamt oder die Bauaufsicht zum Ordnungsamt. Diese Auflistung ist beispielhaft und nicht abschließend, was schon zeigt, wie vielfältig die Aufgaben dieses Amtes sein können.

Ebenfalls unterschiedlich gehandhabt wird die Ausstattung: In einzelnen Gemeinden oder Städten werden die Dienstfahrzeuge mit gelben Rundumleuchten, in anderen sogar mit den von Polizeifahrzeugen bekannten Sondersignalanlagen (mit Blaulicht und Tonfolgesignal) ausgerüstet. Hierbei ist der Trend zu beobachten, dass die so gekennzeichneten Fahrzeuge auch in ihrem Gesamterscheinungsbild denjenigen der Polizei immer ähnlicher werden. Mancherorts sind die Beamten und Angestellten der Ordnungsämter genauso ausgerüstet wie die Beamten der Landespolizei, teilweise sogar besser als diese. So findet man bei ihnen auch Reizstoffsprühgeräte (RSG), Schlagstöcke und Schusswaffen. In anderen Gemeinden allerdings sind die entsprechenden Fahrzeuge so gut wie gar nicht erkennbar.

In Hessen werden die Ordnungsämter neuerlich auch als »Ordnungspolizei« bezeichnet. Zunächst öffentlich nicht so beachtet, wurde in einigen Städten erst die damit einhergehende Änderung der Beschriftung auf neu angeschafften Dienstfahrzeugen von so großem Protest begleitet, dass sie teilweise rückgängig gemacht wurde. Die Ursache der Beschwerden lag in der Nichtakzeptanz dieser Bezeichnung in der Bevölkerung, welche diese als aus der NS-Zeit her historisch belastet ansah.

Das Ordnungsamt (oft auch als Ordnungsbehörde bezeichnet) ist z.B. in Frankfurt am Main auch tätig als Ausländerbehörde, Führerscheinstelle, Zulassungsbehörde für Kraftfahrzeuge und Fundbüro. Weiterhin kümmert sich das Ordnungsamt sowohl um Gewerbekonzessionen als auch um die Unterbringungen von psychisch Kranken nach dem »Hessischen Freiheitsentziehungsgesetz« (HFEG).

In Nordrhein-Westfalen wird aus vorgenannten Gründen die Umbenennung von Ordnungsamt

Heckansicht des Opel Astra B der Ordnungspolizei Offenbach. Das Fahrzeug trägt hier noch die ehemalige Bezeichnung »Ordnungsamt«.

in Stadtpolizei angedacht, was den zu erfüllenden Aufgaben sicher besser entspricht und das Einschreiten der Bediensteten für die Bürger erklärlicher – und vielleicht auch einfacher – machen soll.

Abzugrenzen von den kommunalen Ordnungsbehörden ist die staatliche Vollzugspolizei, die jedoch bei Gefahr im Verzuge die Aufgaben der Ordnungsbehörden in eiligen Angelegenheiten übernimmt. Insofern ist für den Bürger im Alltag nicht immer so klar erkennbar, ob nun die eine oder die andere Behörde wirklich zuständig ist. Viele Sachverhalte werden nämlich von der Polizei zwar aufgenommen, dann aber zur weiteren Bearbeitung an das tatsächlich zuständige Ordnungsamt weitergeleitet.

Chevrolet Nubira Kombi CDX 1,8i mit Autogas-Antrieb.
Das Fahrzeug der Ordnungspolizei der Stadt Rödermark
wurde von einem örtlichen Chevrolet-
Vertragshändler zum Polizeifahrzeug umgerüstet und vor
kurzem an die Behörde ausgeliefert.
Die Umrüstung auf den Flüssiggasantrieb schlägt zwar mit
etwas über 2000 Euro zu Buche, spart dafür aber bei den
laufenden Unterhaltungskosten.

Ordnungsämter und ihre Einsatzfahrzeuge

Manche Ordnungsämter haben bereits früher die Zeichen der Zeit erkannt, so traten Fahrzeuge dieser Behörden in Düsseldorf und Mannheim schon seit längerem in weißer Grundfarbe mit blau abgesetzten beweglichen Teilen auf, bis sie schließlich ebenfalls auf silberne Wagen mit blauen Streifen wechselten. In Frankfurt/M. fuhren die dortigen Fahrzeuge schon seit Jahren im aktuellen Polizei-Design.

Zunächst weiß mit grünen beweglichen Teilen, dann weiß mit grünen Bauchbinden, über weiß mit blauen Streifen bis hin zu silbernen Autos mit blauen Streifen in der Fahrzeugmitte. Derzeit sind bundesweit Bestrebungen im Gange, die Ordnungsämter – ihren Aufgaben entsprechend – umzubenennen, z.B. in Ordnungspolizei, Kommunalpolizei, Stadt- oder Gemeindepolizei. Teilweise allerdings wurden etwa in Frankfurt am Main bereits umbeschriftete Fahrzeuge wieder rückgerüstet, da die Bezeichnung »Ordnungspolizei« dort aufgrund ihrer Vergangenheit während der NS-Zeit bei Teilen der Bevölkerung auf Unverständnis stieß.

VW T 4 des Ordnungsamtes der Stadt Dresden. Eingesetzt wird dieses Fahrzeug von der »Abteilung Gemeindlicher Vollzugsdienst – SG Besondere Einsatzgruppe«.

VW Golf III – Variant der Gemeinde Sulzbach im Taunus. Die Beschriftung »Ordnungspolizei« wurde, aus den bereits genannten Gründen, zwischenzeitlich wieder entfernt.

VW Passat Variant des Kommunalen Ordnungsdienstes der Stadt Mannheim. Bis vor kurzem fuhren die Dienstwagen dieser Behörde in dieser Aufmachung. Aktuell wurde durch die zuständige Aufsichtsbehörde die Erlaubnis zur Nutzung der Sondersignalanlage entzogen, so dass die Wagen nunmehr ohne Blaulichtbalken eingesetzt werden.

Ford Transit FT 100 L – Mehrzweckfahrzeug des Ordnungsamtes Frankfurt am Main.
Neben dem normalen Streifendienst kann mit diesem Wagen auch Personal zu größeren Einsätzen, wie z.B. Fußball-spielen, transportiert werden. Auch ist die Nutzung als so genannte »Mobile Wache« denkbar.

Opel Zafira der Ordnungspolizei Offenbach. Dieser 2005 angeschaffte Wagen ist als erstes Dienstfahrzeug mit der neuen Behördenbezeichnung gekennzeichnet worden. Im Gegensatz zur Nachbarstadt Frankfurt am Main werden diese Fahrzeuge auch weiterhin mit »Ordnungspolizei« beschriftet. Dieses silberne Fahrzeug wird mit Erdgas betrieben, was die Kraftstoffkosten im Vergleich zu benzinbetriebenen Fahrzeugen etwa halbieren soll.

VW Caddy des Ordnungsamtes Frankfurt am Main. Dieses Fahrzeug wird im allgemeinen Streifen- und Ermittlungsdienst von der Dienststelle in Frankfurt-Höchst aus eingesetzt.

VW T 5 der Stadtpolizei Frankfurt am Main. Dieses Einsatzfahrzeug für Diensthundeführer wurde mittlerweile »umgeklebt«, d.h., die alte grüne Folienbeklebung wurde durch die aktuelle blaue ersetzt. Es ist mit zwei Hundeboxen ausgerüstet.

Mercedes-Benz Vito der Stadtpolizei Frankfurt am Main wird im Streifen- und Ermittlungsdienst eingesetzt.

Opel Astra B der Stadtpolizei Frankfurt am Main. Mittlerweile ist man in Frankfurt dazu übergegangen, die Dienstfahrzeuge mit der Beschriftung »Stadtpolizei« zu versehen.

Honda Civic der Ordnungspolizei Offenbach. Dieses Fahrzeug trägt
noch die ältere Beschriftung, nämlich »Ordnungsamt«.

Opel Astra B des Ordnungsamtes Mainz. Das reinweiß lackierte Fahrzeug ist mit einem schmalen
grünen Seitenstreifen versehen. Die blaue Magnet-Rundumkennleuchte (Blitzer) wird nur bei Bedarf aufgesetzt.

Die Länderpolizeien und ihre Aufgaben

Nach dem Grundgesetz der Bundesrepublik Deutschland sind die Polizeiaufgaben im heutigen allgemeinen Verständnis Angelegenheit der Bundesländer.

Die Polizei ist somit den jeweiligen Innenministerien der Länder unterstellt.

Die vielfältigen Aufgaben der Polizei ergeben sich hauptsächlich aus den jeweiligen Polizeigesetzen der Bundesländer (in Hessen z.B. aus dem »Hessischen Gesetz über die öffentliche Sicherheit und Ordnung« (HSOG)) sowie anderen entsprechenden bundeseinheitlichen Vorschriften, etwa der »Strafprozessordnung« (StPO) und dem »Gesetz über Ordnungswidrigkeiten« (OWiG).

Dementsprechend hat die Polizei, in der Regel also die Besatzung eines vor Ort eingesetzten Streifenwagens, Gefahren für die öffentliche Sicherheit und Ordnung festzustellen und soweit als möglich mit eigenen Mitteln Abhilfe zu schaffen. Gegebenenfalls muss sie hierbei auf die Amtshilfe Dritter, z.B. die der Feuerwehr, zurückgreifen.

Im Rahmen strafprozessualer Maßnahmen haben die Behörden und die Beamten des Polizeidienstes als Ermittlungsinstanz Straftaten zu verfolgen und dabei alle unaufschiebbaren Anordnungen zu treffen, um die Verdunklung der Angelegenheit zu verhindern. Gleiches gilt für sie, innerhalb ihres Ermessensspielraums, in Bezug auf Ordnungswidrigkeiten.

Auch leistet die Polizei anderen Behörden, z.B. dem Gerichtsvollzieher, bei deren Amtshandlungen Vollzugshilfe.

Wann immer Leben, Gesundheit, Freiheit oder Eigentum eines Bürgers auf irgendeine Weise bedroht oder beeinträchtigt sind, ist also die Polizei gefordert. Vor allem die Bekämpfung der Kriminalität (Prävention), die Verfolgung von Straftaten, die Bewältigung vieler Probleme im Straßenverkehr sowie Einsätze bei Demonstrationen, Fußballspielen und anderen Großveranstaltungen nehmen die Polizei zunehmend in die Pflicht und sind meist sehr aufwendig und personalintensiv.

Zum Polizeialltag gehört aber genauso die Schlichtung von Familien- oder Nachbarschaftsstreitigkeiten sowie das Tätigwerden für andere, eigentlich originär zuständige Stellen, die nicht oder nicht rechtzeitig erreichbar sind.

Soweit der klare gesetzliche Auftrag. Aus organisatorischen Gründen werden diese Aufgaben auf die verschiedenen Dienstzweige der Polizei verteilt. Zu diesen zählen die Schutzpolizei (einschließlich Wasserschutz- und Bereitschaftspolizei) und die Kriminalpolizei.

BMW R 850 R der Polizei in Baden-Württemberg (»BW«).
Die Fahrleistungen dieser Maschine sind werksseitig wie folgt
angegeben: 52 kW / 70 PS, V/max: 187 km/h.

BMW 525 d und Mercedes 280 CDI »Autobahnstreifenwagen« aus Brandenburg.

Polizeien der Länder – Farbgebung der Einsatzfahrzeuge

1975 wurde durch den Arbeitskreis II der Konferenz der Länderinnenminister in der »Technischen Richtlinie Funkstreifenwagen« verbindlich festgeschrieben, wie die Polizeiwagen in Zukunft bundesweit zu lackieren waren (mit Ausnahme des Freistaates Bayern, dort gab es schon damals die grüne »Bauchbinde«). Seit dieser Zeit waren die Funkstreifenwagen reinweiß (RAL 9001 oder RAL 9010), die beweglichen Teile (Türen, Motorhaube, Kofferraumdeckel, Heckklappe) minzgrün (RAL 6029) lackiert. Wegen den vorgegebenen Fahrzeugformen wurde diese Variante bei den Transportern zunächst nur mit kleinen Abweichungen im Design verwirklicht (VW Busse, Ford Transit, Mercedes Vito, etc.).

Diese Vorgaben galten flächendeckend nur bis etwa zur Jahrtausendwende, obwohl niemals eine andere Richtlinie in Kraft getreten war. Ab diesem Zeitpunkt konnten die ersten silbernen Funkstreifenwagen (etwa RAL 9006 und 9007) beobachtet werden.

Aktuell kann man in allen 16 Bundesländern eine Vielzahl unterschiedlich gestalteter Polizeifahrzeuge sehen. Hierbei ist eindeutig der Trend festzustellen, die – neben den noch vorhandenen älteren, weißen Autos – grundsätzlich silbernen Fahrzeuge mit einem Streifen aus blauer Folie (RAL 5017) in der Fahrzeugmitte abzusetzen. Hier und da ging es sogar soweit, die bereits vorhandenen silber-grünen Fahrzeuge auf Blau umzukleben! Als Vorreiter mit diesem Design begonnen hatte seinerzeit das Land Brandenburg bei der dortigen Autobahnpolizei. Bislang zurückhaltend geben sich in dieser Hinsicht lediglich die Bundesländer Bayern, Baden-Württemberg, Berlin, Nordrhein-Westfalen und Sachsen, welche die silbernen Fahrzeuge weiterhin mit einer minzgrünen Bauchbinde versehen.

Diese silbernen Farbvarianten sind bisher fast ausschließlich auf den Pkw und Kleinbussen, etwa bis zur Größe der Mercedes-Benz Sprinter, zu sehen. Wie die Lkw, Busse und Spezialfahrzeuge demnächst aussehen werden, ist offensichtlich noch nicht geklärt. Einzig Schleswig-Holstein hat schon einen Wasserwerfer in Silbern umlackiert und mit einer blauen »Bauchbinde« versehen.

Auf den nachfolgenden Seiten wird ein Querschnitt der heute bei der Polizei eingesetzten Fahrzeuge gezeigt.

Mercedes-Benz Sprinter 313 CDI mit Rosenbauer-Ausrüstung als Flugfeldlöschfahrzeug der Polizeihubschrauberstaffel (PHuSt) Stuttgart.

Baden-Württemberg

Dieser VW Sharan wird in Stuttgart als
Streifenwagen eingesetzt.

Die Einsatzzeit dieser Mercedes-Benz Vito 112 CDI
der ersten Generation läuft in »BW« bald aus.
Sie werden ersetzt u.a. durch die neuen Standard-
streifenwagen VW-Passat B 6.

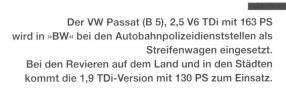

Der VW Passat (B 5), 2,5 V6 TDi mit 163 PS
wird in »BW« bei den Autobahnpolizeidienststellen als
Streifenwagen eingesetzt.
Bei den Revieren auf dem Land und in den Städten
kommt die 1,9 TDi-Version mit 130 PS zum Einsatz.

VW T 4 TDI, wie er derzeit als kleiner
Gefangenentransportkraftwagen (GefKw)
zum Einsatz kommt.

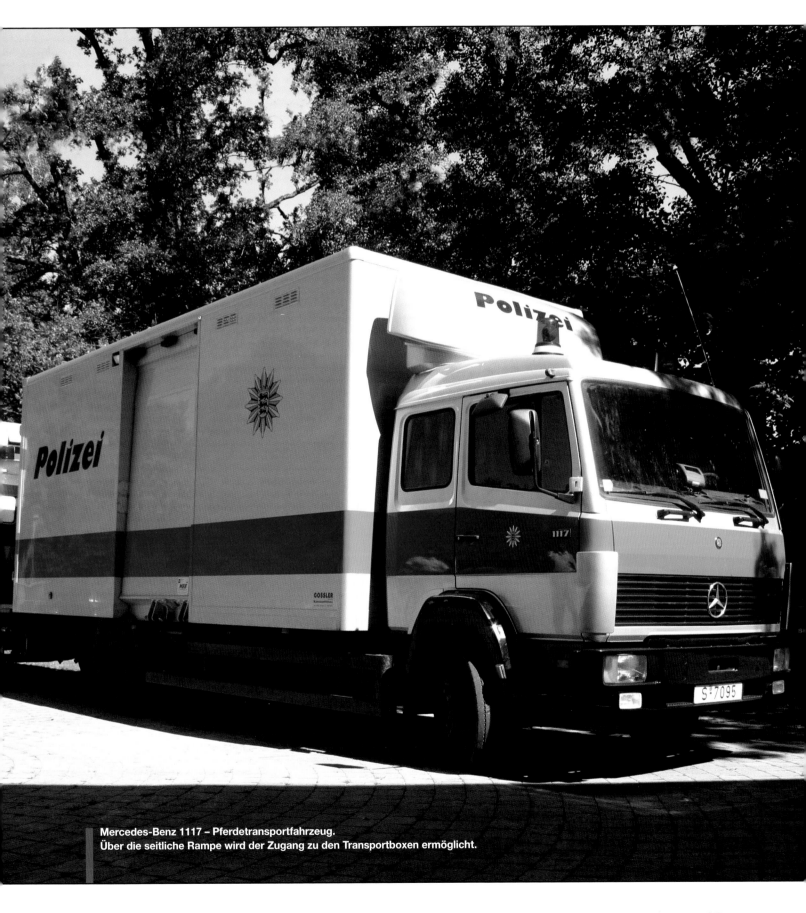

Mercedes-Benz 1117 – Pferdetransportfahrzeug.
Über die seitliche Rampe wird der Zugang zu den Transportboxen ermöglicht.

Mercedes-Benz Vito der zweiten Generation werden derzeit in »BW«, wie auch in vielen anderen Bundesländern, als so genannte »Mehrzweckfahrzeuge« eingesetzt.
Sie können, aufgrund ihrer Ausstattung, im täglichen Streifendienst als Unfallaufnahmefahrzeuge, als Kontrollstellenfahrzeuge sowie als Halbgruppenfahrzeuge zum Mannschaftstransport verwendet werden.
Die seitliche »Bauchbinde« ist hier allerdings einem unterschiedlichen Design gewichen.

Polizeihubschrauber Eurocopter »EC 155«.
Auch dieser Hubschrauber steht im Dienst der Polizei des Landes Baden-Württemberg.
Einschließlich Besatzung können 14 Personen, bzw. zehn Einsatzbeamte mit kompletter Ausrüstung, über ca. 86 km transportiert werden.
Die Höchstgeschwindigkeit ist mit 324 km/h angegeben.

VW LT 28 als (Halb-) Gruppenwagen der Polizei Baden-Württemberg.

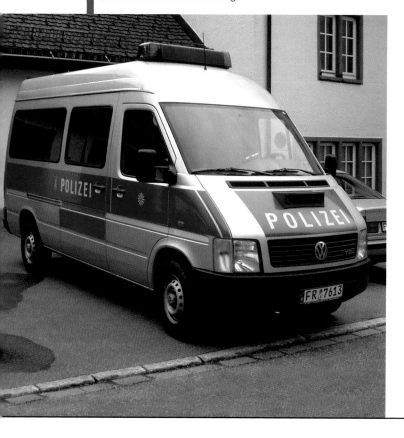

Mit diesem Fahrzeug wird der Brandschutz bei der Hubschrauberstaffel sichergestellt. Besetzt wird der Wagen durch Polizeibeamte dieser Dienststelle. Das Fahrzeug kann natürlich auch bei Außenlandungen an Einsatzstellen verwendet werden.

Polizeihubschrauber McDonell Douglas »MD 502 Explorer« der Polizei »BW«. Insgesamt 8 Personen (einschließlich Besatzung) können mit diesem Einsatzhubschrauber über maximal 700 km transportiert werden. Die Höchstgeschwindigkeit liegt bei 260 km/h. Links daneben ist das Landebasisfahrzeug der Polizeihubschrauberstaffel Hessen zu sehen, mit dem die Betankung am Einsatzort sichergestellt werden kann.

Hier ist der Blick auf die feuerwehrtechnische Ausstattung freigegeben.
Mit diesem Fahrzeug ist die Besatzung in der Lage, kleinere Entstehungsbrände zumindest einzudämmen oder gar ganz zu löschen. Natürlich wird im Einsatzfall nicht auf die professionelle Hilfe von öffentlichen Feuerwehren verzichtet.

MAN 10.150 – Abschleppwagen. Fahrzeuge dieser Art werden häufig bei größeren Polizeidienststellen, wie hier z.B. beim PP Stuttgart, eingesetzt.
Sie dienen ausschließlich dem Transport eigener Dienstfahrzeuge, auch nach technischen Defekten oder Unfällen.

Bayern

BMW R 1150 RT-P – Polizeimotorrad, eingesetzt bei der
Polizei in Bayern.

Hier die Heckansicht derselben Maschine.
Das ca. 280 kg schwere Motorrad beschleunigt
auf knapp 200 km/h.

Heckansicht dieses Fahrzeugs. In diesem Design wirkt der Audi A 4 im Vergleich zu
seinem weißen Pendant recht »bullig«.

Audi A 4 Avant der Polizei Bayern, Modelljahr 2000 - 2004.
Hier noch in der langjährig bekannten weißen Farbgebung
mit grüner »Bauchbinde«. Aufgenommen wurde der Wagen
bei der Polizeiinspektion (PI) Oberstdorf.

Der gleiche Fahrzeugtyp, nunmehr in der
aktuellen, silbernen Farbgebung.
Eingesetzt ist dieser Wagen bei der PI Alzenau.

BMW 320 d Touring (E 46) der PI Aschaffenburg. Sehr viel häufiger als die Limousine ist der 3-er BMW als Kombi, der werkseitig als »Touring« bezeichnet wird, anzutreffen. Als 320 d (110 kW / 150 PS) erreicht das Fahrzeug eine Höchstgeschwindigkeit von ca. 200 km/h.

Audi A 6 Avant 2.5 TDI – Kombi der Autobahnpolizeistation (APS) Memmingen. Das nunmehr aktuelle Design der bayerischen Polizeifahrzeuge lässt diesen Wagen sehr elegant wirken.

Rückansicht des gleichen Fahrzeugs.

BMW 320 d Touring (E 91).
Das Nachfolgemodell wird ebenfalls bei
der PI Aschaffenburg eingesetzt.

Diese Aufnahme zeigt die Heckansicht
des gleichen Fahrzeugs.
Die Leistungen für den 320 d sind werkseitig
mit 120 kW / 163 PS angegeben,
was ihm eine Höchstgeschwindigkeit
von 220 km/h ermöglicht.

BMW 3 (E 46) Limousine, Funkstreifenwagen der
bayerischen Polizei. Als Limousine ist der 3-er BMW
in Bayern eher seltener anzutreffen.

Diese Aufnahme zeigt deutlich die »Fliegersichtken-
nung« auf dem Fahrzeugdach, die das direkte
Ansprechen des Autos vom Hubschrauber aus bei
Einsätzen sehr erleichtert.

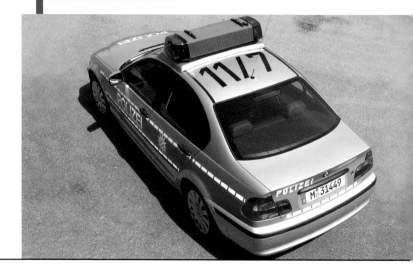

BMW 525 d Touring (E 39) der Polizei in Bayern. Dieser Fahrzeugtyp, in der älteren weißen Lackierung, ist häufig noch im Einsatz. Dieser Wagen versieht in Nürnberg seinen Dienst.

Heckansicht des BMW 525 d Touring (E 39). Dieser Wagen, der beim Polizeipräsidium (PP) München eingesetzt wird, ist bereits im neuen bayerischen Design lackiert.

Opel Vectra B 2.0i Caravan der Bereitschaftspolizei Bayern. Obwohl die Bereitschaftspolizeien der Länder hauptsächlich vom Bund ausgerüstet werden, gibt es in verschiedenen Ländern auch so genannte »Landesbeschaffungen«. Dabei handelt es sich um Fahrzeuge und Geräte, die jeweils vom Bundesland für die eigene Bereitschaftspolizei gekauft oder geleast werden. Die Opel Vectra der bayerischen Bereitschaftspolizei gehören zu solch einer Landesbeschaffung.

BMW 5 Touring (E 61) der Polizei Bayern. Eingesetzt wird dieses Fahrzeug bei der Verkehrspolizeiinspektion (VPI) Aschaffenburg-Hösbach, APS Hösbach.
Beim 525 d leistet die Maschine 133 kW / 177 PS und verleiht dem Wagen eine Höchstgeschwindigkeit (V/max) von ca. 225 km/h.

Die Heckansicht dieses 5-er BMW (E 61) zeigt ein Fahrzeug der APS Memmingen. Die Leistungen für einen 530 d sind mit 170 kW / 231 PS und V/max 244 km/h angegeben.

Opel Vectra C 1.9 CDTi.
In Bayern gibt es Streifenwagen von Opel sogar außerhalb der Bereitschaftspolizei, wenn auch nur beim PP Nürnberg. Hier können sie jedoch auf eine jahrzehntelange Tradition zurückblicken.

VW T 5 TDI mit langem Radstand.
Dieses Fahrzeug ist bei der PI Aschaffenburg
als Mehrzweckfahrzeug eingesetzt.

Diese Heckansicht zeigt denselben Wagen.
Deutlich ist links die zusätzliche Rundumkennleuchte
(RKL) zu erkennen.

»WSP 1« – Streifenboot der Wasserschutzpolizei Bayern. Eingesetzt wird dieses Boot auf dem Starnberger See,
von der PI Starnberg aus. Die wasserschutzpolizeilichen Aufgaben obliegen in Bayern der Wasserschutzpolizeidirektion
Bayern als Zentralstelle und deren untergeordneten Dienststellen:
Den Wasserschutzpolizeistationen an den Bundeswasserstraßen und den Polizeiinspektionen mit
wasserschutzpolizeilichen Aufgaben an den größeren Seen und dem bayerischen Teil des Bodensees.

Land Rover Discovery der Bereitschaftspolizei Bayern. Bei diesem Fahrzeug handelt es sich um eine so genannte »Bundesbeschaffung«, d.h. die Bereitschaftspolizeien der Länder wie auch die Bundespolizei sind mit gleichen Fahrzeugtypen seitens des Bundes ausgerüstet worden. Lediglich die Lackierung wurde dem ehemaligen bayerischen Design angepasst. Der 2,5 l Dieselmotor verleiht dem Fahrzeug eine Höchstgeschwindigkeit von knapp 160 km/h.

»WSP 1« im Einsatz bei der Wasserung des restaurierten Amphibienflugzeugs Dornier Do 24 auf dem Starnberger See.

Unimog 125/416 der Bereitschaftspolizei Bayern. Mit Fahrzeugen dieser Art, die als »Zugmaschine mit Ladegerät« geführt werden, sind alle Bereitschaftspolizeien der Länder vom Bund ausgerüstet worden. Mit seiner 170-PS-Maschine konnte der Unimog mit maximal 80 km/h zum Einsatzort fahren. Sie kommen sowohl als Zugmaschinen zum Einsatz, beispielsweise für Hartschalenboote auf Anhängern, als auch als Räumgerät für blockierte Straßen.

»WSP 4« der Wasserschutzpolizei Bayern. Dieses Streifenboot wird von der PI Prien,
auf dem Chiemsee eingesetzt.

»WSP 40« im Einsatz auf dem Main-Donau-Kanal. Stationiert ist das Streifenboot bei der Wasserschutzpolizei-
gruppe der Verkehrspolizeiinspektion Nürnberg (WSP-Gruppe der VPI Nürnberg) und liegt im
Hafen von Nürnberg. Eingesetzt wird das Boot im Streckenabschnitt zwischen Hausen und Hilpoltstein.

Polizeihubschrauber Eurocopter EC 135 der Polizei Bayern.
Hier ist der Hubschrauber an der Einsatzstelle gelandet. Mit dem EC 135 können 8 Personen
(einschließlich Besatzung) über maximal 620 km mit 260 km/h transportiert werden.

Hier wird die Menschenrettung aus dem
Eis vom Helikopter aus geübt.

Berlin

Opel Corsa C in silberner Lackierung und grüner Folie auf den beweglichen Teilen. Fahrzeuge dieser Art werden in Berlin u.a. für den »Zentralen Objektschutz« (ZOS) eingesetzt.

Opel Astra B (interne Werksbezeichnung Astra G, fortlaufend von der Kadett-Baureihe) der Polizei Berlin, hier noch in der früheren, weißen Grundlackierung. Auch diese Autos kommen beim Objektschutz zum Einsatz.

Eskorte mit sieben Maschinen BMW R 850 RT – die Eskortenmaschine der Polizei in Berlin.

BMW K 75 des Zentralen Verkehrsdienstes Berlin. Die K 75 ist bundesweit bei der Polizei eher mit Verkleidung (und dann als K 75 RT) bekannt. In Berlin werden diese Maschinen auch von den so genannten »Putzern« genutzt, das sind die Beamten, die wichtige Kreuzungen und Einmündungen für den Querverkehr sperren, bevor hohe Staatsgäste mit ihrer Eskorte die Einsatzstellen passieren.

VW Touran 2.0 TDI der Polizei in Berlin. Fahrzeuge dieses
Typs werden als Streifenwagen genutzt und intern als
»Einsatzwagen Abschnitt« bezeichnet.

BMW 525 d Touring (E 39) der Polizei Berlin wie er auf den
Autobahnen eingesetzt wird. Intern wird das Fahrzeug als
»Einsatzwagen Autobahn« (Ewa BAB) bezeichnet.
Zur besseren Erkennbarkeit wurden an dem silber-grünen
Fahrzeug vorne und hinten sowie an den Seiten großflä-
chige, rot-weiß reflektierende Warnmarkierungen nach DIN
angebracht. Die spezielle Ausrüstung umfasst z.B. einen
ausziehbaren Geräteträger, Anhängerkupplung, Geschwindig-
keitsmessgerät Police Pilot, zehn Leitkegel BAB (groß), acht
Nissen-Blitzleuchten, Ölbindemittel, Abschleppstange, Brech-
eisen, Handscheinwerfer und diverse andere Gerätschaften.

Mercedes-Benz E 220 CDI T (S211) der Autobahnpolizei in Berlin. Der Motor mit 110 kW / 150 PS verleiht dem Wagen eine Höchstgeschwindigkeit von ca. 200 km/h.

Diese Heckansicht des gleichen Fahrzeugs zeigt deutlich die rot-weißen Warnstreifen gemäß der »Richtlinie zur Sicherung von Arbeitsstellen« (RSA 95), die den am Einsatzort stehenden Wagen für andere Verkehrsteilnehmer wesentlich erkennbarer machen.

Renault Trafic Generation 2,5 dCi – Kleinbus der
Polizei Berlin.

Heckansicht des gleichen Fahrzeugs.
Neben der Firma Peugeot, die seit je her
Einsatzfahrzeuge an die Polizei im Saarland liefert,
hat sich nun mit Renault ein zweiter französischer
Hersteller in Deutschland etabliert, wenn auch bislang
nur mit Kleinbussen und auch nur in Berlin.

VW T 3 – Er läuft und läuft und läuft –
immer noch und nicht nur in Berlin, wenn auch
vielleicht nicht mehr im täglichen Einsatzdienst,
so ist er doch für diverse spezielle Aufgaben auch
heute noch unentbehrlich.

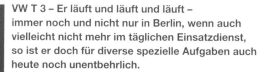

Renault Master (Modell 2006)
»Gruppenkraftwagen 8« (8 Sitzplätze).
Diese Fahrzeuge werden bei den Alarmhundertschaften
der Abschnitte und im täglichen
Abschnittsdienst eingesetzt.

Heckansicht des gleichen Fahrzeugs.
Berlin geht bei der Folienbeklebung der Kleinbusse
offensichtlich einen Zwischenweg. Es werden sowohl die
zwei quer verlaufenden, reflektierenden weißen Streifen
als auch die nach unten gezogene grüne Fläche in der
Fahrzeugmitte angebracht.

47

VW T 4 Multivan Unfallsicherungskraftwagen.
Ausgestattet ist dieses Fahrzeug mit Horizont-Klapp-
warntafel, zehn Leitkegeln BAB,
acht Nissen-Blitzleuchten, Ölbindemittel und
diversen anderen speziellen Geräten.

VW T 4 Multivan, Führungsbus der
Direktionshundertschaft 5. Fahrzeuge
dieser Art kommen mit ihrer Vergitterung
unter anderem als Halbgruppenfahrzeuge
bei gewalttätigen Auseinandersetzungen
zum Einsatz.

VW T 4 – Einsatzfahrzeug des
Unfallkommandos, noch in der älteren, weißen
Grundfarbe und grüner Folienbeklebung.

Bei dieser Heckansicht sind die rot-weiß reflektierenden
Warnstreifen gut erkennbar.

VW LT 28. Dieses Fahrzeug der ersten modifizierten
LT Modellreihe wird heute von der Wasserschutzpolizei zur »Eisrettung« genutzt. Im Laderaum werden
ein kleines Boot sowie weitere Geräte zur Bergung
eingebrochener Personen mitgeführt.

Mercedes-Benz Sprinter 311 CDI Gruppenwagen der Polizei in Berlin.

Mercedes-Benz 408 – Ehemaliger Gruppenwagen
(Gruppenkraftwagen – GruKw), der jetzt als »Anti-Gewalt-Mobil« bei Demonstrationen eingesetzt wird.

Mercedes-Benz 611 D – Gruppenwagen (GruKw) mit
zusätzlicher Schweinwerferleiste an der Front.

Mercedes-Benz Sprinter 316 CDI – Spezialermittlungswagen (Gefahrgut) des Zentralen Verkehrsdienstes der Berliner Polizei. Andernorts werden solche Fahrzeuge auch als »Kontrollstellenfahrzeuge« bezeichnet.

Renault Master – Hundetransportfahrzeug. Mit diesem Wagen können bis zu sechs Hunde transportiert werden.

Die Heckansicht zeigt den Spezialaufbau mit den drei Hundeboxen auf der linken Seite.

»WSP 24« (Kormoran), Streifenboot der Wasserschutzpolizei Berlin.
Die technischen Daten werden wie folgt angegeben: Verdrängung: 7,5 t, Motor: zwei Wizemann 130 (OM352) 125 PS-6-Zylinder-
Dieselreihenmotoren, Hubraum: 5,6 Liter, Höchstgeschwindigkeit: 30 km/h, Länge: 11,30 m, Breite: 3,10 m, Tiefgang: 0,70 m.

»WSP 20« (Lietze), Streifenboot der Wasserschutzpolizei Berlin.
Technische Daten: Bauausführung: Rumpf aus Stahl, Aufbauten aus Aluminium, Verdrängung: 10,0 t,
Motor: 200 PS DB 6 Zylinder-Dieselmotor, Hubraum: 10,8 Liter, Ruderpropeller (SRP), Höchstgeschwindigkeit: 25 km/h,
Länge: 13,30 m, Breite: 3,35 m, Tiefgang: 1,10 m, Radar: Kelvin-Hughes 17/12RB, Echolot: Elac Minicsop, Funk: 7b,
Schiffsfunk: Dantronik RT 408.

»WSP 31« (Graureiher), Streifenboot der Wasserschutzpolizei Berlin. Das Boot stammt aus der gleichen Serie wie die »WSP 20«, die technischen Daten gelten also entsprechend.

»WSP 50« (Sturmmöve), Streifenboot der Wasserschutzpolizei Berlin. Technische Daten: Baustoff: Aluminium, Verdrängung: 9,0 t, Motor: zwei 150 PS-MAN- Diesel, Höchstgeschwindigkeit: 35 km/h, Länge: 13,00 m, Breite: 3,30 m, Tiefgang: 0,70 m, Radar: Elna 3100, Echolot mit Flussprofilaufzeichnung, Funk: Fug 7b, Schiffsfunk: Dantronik 5000 R.

Polizeihubschrauber Eurocopter EC 135. Dieser Hubschrauber ist gemeinsam von der Bundespolizei und der Polizei Berlin beschafft worden. Er steht beiden Dienststellen zur Verfügung, somit können die laufenden Kosten entsprechend geteilt werden.
Technische Daten:
Hersteller: Eurocopter Deutschland (vormals MBB), Donauwörth, Typ: EC 135, Triebwerk: zwei x Turboméca Arrius 2B1 (EC 135T2) mit digitaler Triebwerkskontrolle, optional zwei x Pratt & Whitney Canada PW 206B (EC 135P2), Leistung: Arrius: zwei x 515 WPS (384 kW), Höchstgeschwindigkeit: 260 km/h, Tankinhalt: 544 kg, Reichweite: 620 km, maximales Abfluggewicht: 2835 kg, Länge über alles: 12,16 m, Hauptrotordurchmesser: 10,20 m, acht Sitzplätze (einschließlich Besatzung).

Brandenburg

Opel Corsa C der Polizei Brandenburg.
Eingesetzt wird dieser kompakte Wagen im Streifen- und
Ermittlungsdienst »auf dem flachen Land«.

Opel Astra B Caravan. Dieses Fahrzeug ist noch
mit den älteren, grünen Folien beklebt.
Solche Fahrzeuge kommen sowohl als Streifenwagen als
auch als Dienstfahrzeuge für Diensthundeführer zum Einsatz.

Opel Vectra C 1,9 CDTi Caravan der Polizei Brandenburg
im neuen Design in silberner Grundlackierung
und blauer Folienbeklebung. Dieser Fahrzeugtyp wird
als Funkstreifenwagen genauso genutzt
wie auch als Hundeführerwagen.

Hier ist die Ausrüstung des Opel Vectra C mit
2 Hundeboxen zu sehen.

BMW 1150 RT der Polizei Brandenburg. Hier bei der Übernahme der neuen Motorräder durch die Beamten.

BMW 525 d (E 39) der Autobahnpolizei Brandenburg.

Bei geöffneter Heckklappe ist gut zu erkennen, was alles an Ausrüstung und Gerät in einem Funkstreifenwagen der Autobahnpolizei mitzuführen ist.

VW Passat Variant 1,9 TDI (B5), Funkstreifenwagen der Polizei Brandenburg, hier aufgenommen in Potsdam.

Heckansicht desselben Wagens.

VW Passat Variant 2,0 TDI (B 6). Neuester Vertreter der brandenburgischen Funkstreifenwagen aus dem Haus Volkswagen. Der Motor leistet 103 kW / 140 PS und beschleunigt den Wagen bis auf ca. 200 km/h.

Heckansicht des VW Passat Variant aus Brandenburg.

Mercedes-Benz E 200 NGT (W211).
Erdgas-Erprobungsfahrzeug der Polizei Brandenburg.
Technische Daten:
Hubraum: 1796 cm³, 120 kW / 163 PS,
Höchstgeschwindigkeit: 227 km/h.

Mercedes-Benz E 280 CDI T (S211). »Autobahnfunkstrei-
fenwagen« der Polizei Brandenburg. Das Fahrzeug ist mit
einem V 6-Motor mit einem Hubraum von 2987 cm³,
der 140 kW / 190 PS leistet, ausgerüstet und erreicht damit
eine Höchstgeschwindigkeit von ca. 230 km/h.

Die Heckansicht eines Mercedes-Benz E 280 CDI T
»Autobahnstreifenwagens«. Gut zu erkennen sind das
aufsteckbare blaue Rundumlicht, das die
Erkennbarkeit der Einsatzstelle aus größerer Entfernung
verbessert, sowie das aufgesetzte Warnschild »Stau«.

BMW 525 d (E 61) der Autobahnpolizei Brandenburg. Hinsichtlich der neuen, silber-blauen Farbgebung der Polizeifahrzeuge war Brandenburg bei den Autobahndienststellen Vorreiter für ganz Deutschland.

Dieses Foto zeigt die auch in Brandenburg bei Fahrzeugen der Autobahndienststellen gebräuchliche zusätzliche Warneinrichtung durch rot-weiße Warnschraffen am Heck.

MAN 14.224 – Abschleppfahrzeug mit Ladekran, Hartmann-Verschiebeplateau und Hub-Brille. Fahrzeuge dieser Art werden u.a. zur Bergung und zum Transport verunfallter Dienstfahrzeuge bei größeren Polizeidienststellen verwendet. Dieses Brandenburger Fahrzeug ist mit gelben Rundumkennleuchten ausgerüstet, andere Dienststellen versehen solche Fahrzeuge auch mit blauen Rundumlichtern und Sondersignalanlagen.

Mercedes-Benz 313 CDI »Bearbeitungswagen mit Sicherungsanhänger« der Autobahnpolizei Brandenburg. Fahrzeuge dieser Art werden z.B. bei Großkontrollen oder auch bei größeren Unfällen als »Büro« genutzt.
Der Sicherungsanhänger dient als Warn- und Absperreinrichtung bei Verkehrsunfällen.

Mercedes-Benz 313 CDI Sprinter »Bearbeitungswagen« des Verkehrsüberwachungsdienstes der Brandenburger Polizei.

Mercedes-Benz 313 CDI Sprinter »Tatort-Trupp-Kraftwagen« (Tatort-Trupp-Kw) der Polizei Brandenburg. Dieses Fahrzeug wird bei der Kriminalpolizei in Frankfurt/Oder eingesetzt.
Es wird die gesamte notwendige Ausrüstung mitgeführt, um an einem Tatort entsprechend arbeiten zu können, also beispielsweise die Durchführung von Spurensuche und Spurensicherung.

Mercedes-Benz 311 CDI Sprinter. Dieser Gruppenwagen der Polizei Brandenburg ist noch in weißer Grundfarbe ausgeliefert, jedoch schon mit den blauen Folienstreifen beklebt worden.

»WSP 21« (Polizeiboot KB 12) der Wasserschutzpolizei Brandenburg.
Boote dieses Typs werden auf allen Binnengewässern des Landes verwendet.

»WSP 1« (Polizeiboot KB 26) der Wasserschutzpolizei Brandenburg. Dieses Schiff wird als Einsatz- und Führungsmittel sowie als Ausbildungsschiff verwendet. Die Maschine leistet 166 kW / 226 PS. Die Maße (Länge/Breite/Höhe/Tiefgang) werden wie folgt angegeben: 26,25 m / 5,08 m / 3,80 m / 0,86 m.

»WSP 5« (Polizeiboot KB 12/4) der Wasserschutzpolizei Brandenburg. Auch diese Bootstypen werden auf allen größeren Binnengewässern in Brandenburg eingesetzt. Die ehemaligen DDR-Boote wurden zwischenzeitlich modernisiert und sind nun u.a. ausgerüstet mit 195 kW / 265 PS starkem Volvo D7CTA-6-Zylinder-4-Takt-Reihendieselmotor und Burgstrahlruder. Die Maße sind wie folgt angegeben: Länge (L) / Breite (B) / Höhe: 12,8 m / 3,2 m / 3,2 m.

Polizeihubschrauber Eurocopter EC 135 der Polizeihubschrauberstaffel Brandenburg.
Die Polizeihubschrauberstaffel Brandenburg ist der »Landeseinsatzeinheit« (LESE) unterstellt.
Die Hubschrauber werden als Einsatzmittel zur Unterstützung der jeweiligen örtlichen Polizeibehörden,
insbesondere bei der Aufklärung, Beobachtung, Fahndung und zur Suche aus der Luft eingesetzt.

Bremen – Bremerhaven

Das Bundesland Bremen umfasst die beiden Städte »Hansestadt Bremen« und »Bremerhaven«. Das Land Bremen unterhält in der Stadt Bremen die Landespolizei, innerhalb der Stadt Bremerhaven arbeitet die »Polizei« noch als »Ortspolizeibehörde« – d.h., so wie andernorts die Ordnungsämter.

Fiat Ducato 2,3 JTD – Mehrzweckfahrzeug der Ortspolizeibehörde Bremerhaven. Gleiche Fahrzeuge werden auch von der Landespolizei Bremen eingesetzt.

Rückansicht desselben Fahrzeugs.

Hanomag-Henschel F 55
Lichtmastkraftwagen (LimaKw) der
Ortspolizeibehörde Bremerhaven.

VW LT 28 TDI –
Verkehrsunfallaufnahme-Fahrzeug der
Ortspolizeibehörde Bremerhaven.

Heckansicht des Unfallaufnahmefahrzeugs.

Die Seitenansicht des LimaKw
zeigt den Aufbau mit der Flutlichtanlage,
mit der es bei Dunkelheit
möglich ist, größere Einsatzstellen
gut auszuleuchten.

Hamburg

BMW 3 Limousine, Funkstreifenwagen
der Polizei Hamburg, hier aufgenommen vor der
weltbekannten »Davidwache«,
dem heutigen »Polizeikommissariat 15«.

Heckabsicht des BMW-Funkstreifenwagens.
In Hamburg wurde seinerzeit der
Begriff »Peterwagen« als Bezeichnung für die
Streifenwagen geprägt.

VW Touran, Funkstreifenwagen
der Polizei Hamburg.
Diese Fahrzeuge werden u.a. im Revierdienst
und bei der Verkehrsstaffel eingesetzt.

Heckansicht eines VW Touran der Hamburger Polizei.

Mercedes-Benz E 220 CDI, Funkstreifenwagen der Polizei Hamburg. Bei dieser ersten Serie des W211 wurde noch auf die reflektierenden Streifen ober- und unterhalb der blauen »Bauchbinde« verzichtet.

Mercedes-Benz E 220 CDI, Funkstreifenwagen der Polizei Hamburg. Bei dieser zweiten Serie des W211 wurden die reflektierenden Streifen ober- und unterhalb der blauen »Bauchbinde« angebracht.

Heckansicht zweier Mercedes 220 CDI der Hamburger Polizei, die auf ihren nächsten Einsatz vor dem Revier warten.

VW Sharan, Funkstreifenwagen der Hamburger Polizei. Neben den normalen Pkw werden in Hamburg auch so genannte Großraumlimousinen oder Vans im Streifendienst eingesetzt.

Heckansicht des VW Sharan, hier geparkt vor der Davidwache.

Ford Transit 125 T 350, Logistikfahrzeug der Hamburger Polizei. Derartige Fahrzeuge werden
von allen größeren Polizeidienststellen, wie auch bei den Bereitschaftspolizeien der Länder eingesetzt,
um Material- und Gerätetransporte durchzuführen.

BMW 3 Touring, Funkstreifenwagen der Polizei Hamburg. Hamburg hat als erstes Bundesland, nach Brandenburg,
die Grundlackierung seiner Streifenwagen auf Silber-Blau umgestellt. Dies hat offensichtlich einen bundesweiten
Trend ausgelöst – silber-blaue Polizeifahrzeuge sind immer häufiger zu beobachten.

Polizeihubschrauber Eurocopter EC 135 der Polizei Hamburg. Die weiß-blau-rote Lackierung, die von allen anderen im Bundesgebiet abweicht, steht diesem Hubschrauber durchaus sehr gut. Die Zulassung der Maschine lässt darauf schließen, dass die Aufnahme noch von einem Testflug stammt.

Das 1995 bei der Fassmer-Werft erbaute, hochseegängige Polizeiboot der Wasserschutzpolizei Hamburg wird auf der Elbe, von Hamburg aus bis zur Mündung, sowie auf der Nordsee bis zur deutschen Hoheitsgrenze eingesetzt.
Bei 95 t Wasserverdrängung kann das Boot, dank seiner drei MWM-Motoren mit je 654 kW, eine Höchstgeschwindigkeit von 23 Knoten (kn) erreichen, was etwa 43 km/h entspricht.

»WS 2« der Wasserschutzpolizei Hamburg. Hier fährt die »Bürgermeister Weichmann« parallel zur »Queen Mary 2«. Obwohl sie mit 29,50 m Länge und 6,40 m Breite durchaus kein kleines Polizeiboot ist, wirkt sie neben dem Luxusliner doch eher »zierlich«.

Hessen

Ford Scorpio 2,0 CLX – Führungsfahrzeug der Hessischen Bereitschaftspolizei (BePo). Das Fahrzeug ist, wie bundesweit für »BePo-Fahrzeuge« üblich, komplett in Minzgrün lackiert. Lediglich das auf beiden vorderen Türen aufgeklebte Hoheitszeichen sowie das Wiesbadener Kennzeichen lassen erkennen, dass es sich um ein Fahrzeug aus Hessen handelt.

BMW K 75 – Polizeimotorrad der Polizei Hessen. Diese Maschine wird bei der Sperrung einer großen Kreuzung anlässlich einer Demonstration in Frankfurt/M. eingesetzt.

Opel Vectra C – 2,2 DTi der Polizei Hessen. Hier ist ein Fahrzeug der ersten Serie zu sehen, bei der die beweglichen Teile der silbernen Fahrzeuge noch mit grüner Folie beklebt wurden. Bei der Polizeistation (PSt) Hofheim, die der Polizeidirektion (PD) Main-Taunus untersteht, wurden ab 2003 die Streifenwagen zusätzlich mit den auffälligen dreifarbigen Aufklebern »Notruf 110« versehen.

Opel Vectra C – 2,2 DTi der Polizei Hessen. Bei der zweiten Serie wurde die »grüne Bauchbinde«, die bereits aus anderen Bundesländern bekannt ist, auch in Hessen verwendet. Der Motor leistet 92 kW / 125 PS und verleiht dem Wagen eine Höchstgeschwindigkeit von ca. 200 km/h.

Opel Vectra C 2 – 1,9 CDTi (Facelift) der Polizei Hessen. Mit Indienststellung dieser Fahrzeugserie hielt auch in Hessen ab Ende 2005 die silber-blaue Lackierung Einzug. Der Motor leistet 110 kW / 150 PS, was dem Wagen zu einer Höchstgeschwindigkeit von ca. 210 km/h verhilft.

Smart »ForTwo« - Fahrzeug der Öffentlichkeitsarbeit der Polizei in Hessen.
Hier wurde der Smart bei der IAA in Frankfurt am Main am Stand der Polizei werbewirksam präsentiert.

BMW 525 d der Polizei Hessen. Dieser BMW ist das Führungsfahrzeug der Landeskradstaffel und bei der Polizeiautobahnstation (PASt) Langenselbold stationiert. Er wurde eigens dafür seiner grünen Folienbeklebung »beraubt« und, entsprechend den neuen Vorgaben des Landes, mit blauer »Bauchbinde« und Reflexstreifen versehen.

Rückansicht des Führungsfahrzeugs der Landeskradstaffel.
Das ist übrigens der einzige silber-blaue BMW dieses Typs in Hessen!

BMW 525 d der Polizei Hessen. Fahrzeuge dieses Typs setzt Hessen als Funkstreifenwagen ausschließlich auf den Autobahnen ein. Die Fahrzeuge sind, bis auf eine Ausnahme, alle silbern lackiert und an den beweglichen Teilen mit grüner Folie beklebt.

Opel Monterey 3,1 D, wie er bei der Hessischen Polizei als Zugfahrzeug bei den Pferdestaffeln, als Funkstreifenwagen der Wasserschutzpolizei oder bei Dienststellen mit überwiegend ländlichem Charakter eingesetzt wird.

Opel Zafira 1,6 CNG – Funkstreifenwagen der Hessischen Polizei. Diese Erdgasfahrzeuge testet das Land beim PP Südosthessen in Offenbach auf ihre Tauglichkeit im Polizeidienst. Großflächig ist sogar ein Werbeslogan der Erdgasindustrie auf der Motorhaube angebracht.

Heckansicht desselben Fahrzeugs. Der Motor leistet 97 PS und der Wagen ist zusätzlich mit einem 14-Liter-Benzintank »für alle Fälle« ausgestattet. Man erhofft sich, bei konsequenter Gas-Nutzung, bis zu 40 % der Kraftstoffkosten einsparen zu können.

BMW 525 d A Touring der Polizei Hessen. Fahrzeuge dieses Typs setzte Hessen als Funkstreifenwagen bei den Land-Dienststellen, auf den Autobahnen und als Hundeführerfahrzeuge auch in den Städten ein. Die technischen Daten gibt BMW wie folgt an: Hubraum: 2497 cm^3, 120 kW / 163 PS.

Opel Frontera 2,2 DTI der Hessischen Polizei. Dieser Fahrzeugtyp wird u.a. bei Land-Dienststellen und der Wasserschutzpolizei als Funkstreifenwagen eingesetzt, hauptsächlich aber als Zugfahrzeug für Anhänger bei den Pferdestaffeln. Dieses Auto versieht bei der PSt. Hofheim am Taunus seinen Streifendienst.

Heckansicht eines Opel Frontera, der als Streifenwagen der Wasserschutzpolizei in Frankfurt/M. Verwendung findet.

Mercedes-Benz 280 GE – SW 3 (geschützter Sonderwagen Typ 3) der Hessischen Polizei. Fahrzeuge dieser Art
werden bei allen Bereitschaftspolizeien und der Bundespolizei eingesetzt. Dieser SW 3 allerdings gehört zum PP
Frankfurt am Main.

Nissan Patrol Zugfahrzeug für Anhänger der Pferdestaffel Hessen
in Frankfurt am Main.

Nissan Patrol Diensthundeführer-Fahrzeug der Polizei Hessen. Eingesetzt wird dieser Wagen beim PP Frankfurt/Main.
Die Aufnahme des Hecks zeigt die eingebaute Hundebox.

Nissan Patrol – LimaKw des Polizeipräsidiums Frankfurt am Main.
Mit diesem Lichtmastfahrzeug können Einsatzstellen bei Nacht beleuchtet werden,
um den eingesetzten Beamten ein effektives Arbeiten zu ermöglichen.

VW T 3 – Hundetransportfahrzeug mit mehreren Boxen.
Zum Einsatz kommt dieses Fahrzeug
auch heute noch beim PP Frankfurt am Main.
Auffällig ist die Schiebetür auch auf der linken
Fahrzeugseite.

Dieser VW T 3 ist ebenfalls heute noch als
Lautsprecher-Kraftwagen (LauKw) bei der Hessischen
Polizei im Einsatz.

Dieser VW T 3 ist bei der Bereitschaftspolizeiabteilung
Mühlheim (Hessen) als Krankenkraftwagen (KTW) oder
Sanitätskraftwagen (SanKW) auch heute noch
im Dienst.

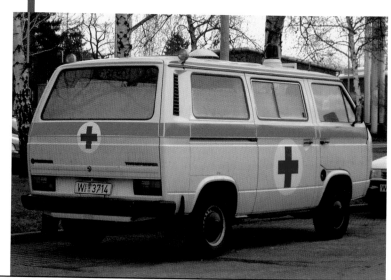

VW T 4 – Hundeführerfahrzeug, Dieses Einzelstück bei der
Polizei Hessen versieht beim PP Frankfurt/M.
seinen Dienst. Auffällig sind hier die beiden vorn und
hinten mittig auf dem Dach angebrachten blauen
Rundumkennleuchten, im Gegensatz zu der sonst in
Hessen üblichen »Hella RTK 4 SL / RTK 6 SL«.

Ford Transit – Mehrzweckfahrzeug
mit mittelhohem Dach der Polizei Hessen.
Diese Fahrzeuge sind vereinzelt immer noch
im Einsatzdienst zu finden, wenngleich sie
sukzessive durch die Mercedes-Vito der neuen
Generation abgelöst werden.

VW T 4 KTW / SanKw der Bereitschaftspolizei Hessen.
Das Fahrzeug verfügt über einen langen Radstand,
um die spezielle Sanitätsausrüstung optimal unterbringen
zu können.

VW T 4 Syncro der Bereitschaftspolizei Hessen.
Der »Syncro« ist mit Allradantrieb
ausgerüstet und ist äußerlich an dem am Heck auf einem
Bügel befestigten Reserverad erkennbar.

Mercedes-Benz Vito 111 CDI – LauKw der Hessischen Polizei. Die neuen LauKw
der Polizei Hessen werden als Mercedes-Benz Vito 111 CDI beschafft.
Die Außenlautsprecher-Anlage ist dabei auf einem Gestell auf dem Fahrzeugdach aufgebaut.
Die Technik wird von einem Beamten im Fond bedient.

Mercedes-Benz Vito 111 CDI. Mehrzweckfahrzeug der Polizei Hessen.
Die modernen Vito mit 88 kW / 120 PS Dieselmotor wiegen 2200 kg. Sie wurden zunächst
noch in silberner Grundfarbe und mit grüner, später dann ausnahmslos mit blauer
»Bauchbinde« ausgeliefert. Sie werden in Hessen auch als »Multifunktionsfahrzeuge« bezeichnet,
weil sie als Funkstreifenwagen, Unfallaufnahmefahrzeuge, Halbgruppenwagen oder als
»Mobile Wachen« einsetzbar sind.

Mercedes-Benz Sprinter 416 CDI –
Bundeseinheitlicher Lautsprecherkraftwagen der
Bereitschaftspolizeien der Länder. Die Grundfarbe
ist weiß, die Bauchbinde – soweit eingeführt,
mit blauer Folie, wie hier in Hessen – sonst in
grüner Folie aufgeklebt.

Mercedes-Benz Sprinter 312 D –
Überfallkommando-Fahrzeug des PP Frankfurt am Main.
Das ehemals weiß-grüne Fahrzeug wurde
bereits in Weiß-Blau umlackiert.
Die »Bauchbinde« wurde hier noch nicht mittels
Folienbeklebung aufgebracht.
Das Überfallkommando kommt immer zum Einsatz,
sobald größere Schlägereien, Raubüberfälle
oder sonstige Verbrechen gemeldet werden.

Mercedes-Benz 711 D – Gefangenentransportkraftwagen (GefKw) der Bereitschaftspolizei Hessen.
Bei Großeinsätzen wie z.B. wegen Demonstrationen, Fußballspielen und dergleichen werden solche Fahrzeuge vorgehalten.
Mit ihnen können vorläufig festgenommene Personen vom Einsatzort zum »Zentralen Polizeigewahrsam« gebracht werden, wo sie bis zu ihrer Entlassung festgehalten werden.

Mercedes-Benz 911 – Telekommunikations-Betriebstrupp-Kraftwagen der Bereitschaftspolizei Hessen.
Das Fahrzeug dient als mobile Fernschreibbetriebsstelle.

Mercedes-Benz 711 D – Gruppenwagen der
Bereitschaftspolizei Hessen.
Diese Fahrzeuge findet man bei allen Bereitschafts-
polizeien der Länder, ebenso bei der Bundespolizei.

Mercedes-Benz 711 D – Rettungswagen des Polizeipräsidiums Frankfurt am Main. Das Fahrzeug ist als »Notarztwagen«
ausgerüstet – im Bedarfsfall rückt der Wagen zusammen mit
einem Arzt des ärztlichen Dienstes des Präsidiums aus.
Er wird ausschließlich für die Sicherstellung der medizinischen
Notfallversorgung der Polizeibeamten verwendet.

Mercedes-Benz 811 D – Befehlskraftwagen (BefKw) der Polizei Hessen. Fahrzeuge dieser Art sind bei allen großen Präsidien stationiert.
Sie werden als mobile Einsatzleitzentrale, z.B. bei größeren Demonstrationen, Messen oder Unfällen, eingesetzt.

Mercedes-Benz 608 D – Betankungsfahrzeug der Polizeihubschrauberstaffel Hessen.
Das Fahrzeug ist an der Basis in Egelsbach, nahe Frankfurt/M. stationiert, kann aber bei länger andauernden Einsätzen zum jeweiligen Außenlandeplatz mitgeführt werden. Das ermöglicht die Betankung der Polizeihubschrauber vor Ort.

Mercedes-Benz 917 – Funkkraftwagen (UKW) der Hessischen Bereitschaftspolizei.

Mercedes-Benz 911 – LimaKw der Bereitschaftspolizei Hessen. Bei der lichttechnischen Anlage handelt es sich um eine »Polyma-Lichtgiraffe« vom Typ PL16/9.

Die Heckansicht des Fahrzeugs gewährt einen Blick auf die Polyma-Flutlichtanlage.
Die sechs Scheinwerfer können über einen Mast ausgefahren werden, so dass die Ausleuchtung auch größerer Einsatzstellen möglich ist.

VW-MAN 10.180 – Pferdetransportfahrzeug der Polizeireiterstaffel Hessen in Frankfurt am Main. Über die seitlichen Rampen können bis zu vier Pferde in die Boxen verladen werden. In der Mitte des Aufbaus wird der Zugang für die Reiter zu den Boxen über eine ausziehbare Treppe ermöglicht.

Mercedes-Benz O 303 – Großer Gefangenen-transportkraftwagen (GefKw).

Dieses Fahrzeug gehörte zu einer Flotte aus mehreren Gefangenenbussen, die von der Hessischen Bereitschaftspolizei zur Verschiebung der Strafgefangenen bundesweit eingesetzt wurde. Nachdem diese Aufgabe aber vor zwei Jahren an die originär zuständige Behörde, nämlich die Justiz, abgegeben worden war, hat man auch alle entsprechenden Großfahrzeuge dorthin abgeliefert.

Bei Großeinsätzen, wie hier bei der Fußball-weltmeisterschaft 2006, ist die Bereitstellung solcher Fahrzeuge jedoch notwendig, um eine größere Anzahl von vorläufig festgenommenen Personen kurzfristig zu verwahren, bis sie durch kleinere GefKw zum Zentralen Polizei-gewahrsam gebracht werden können.

In Hessen muss sich die Polizei nun die großen GefKw von der Justiz bei entsprechenden Anlässen ausleihen. Aus diesem Grund sind die Fahrzeuge noch mit Sondersignalanlagen ausgerüstet. Die kurzfristige Zugehörigkeit zur Polizei wird bei den als Justiz-Fahrzeugen gekennzeichneten Bussen durch kleine Schilder in der Windschutzscheibe mit der Aufschrift »Polizei« dokumentiert.

Setra S 215 RL – Kraftomnibus (KOM) der Hessischen Bereitschaftspolizei. Verwendet werden diese Busse, um eine große Anzahl von Beamten, auch über längere Strecken, zum Einsatz transportieren zu können.

Unimog U 5000 Bergungs- und Räumgerät der Bereitschaftspolizei Hessen. Ausgerüstet ist dieser Unimog mit Ladeschaufel von Schaeff und einem hydraulischen Ladekran von Palfinger. Außerdem verfügt das Fahrzeug über eine Klimaanlage für die Kabine.

Mercedes-Benz 1017 – Geräte-Gruppenkraftwagen (GKW) der Hessischen Bereitschaftspolizei. Die dunkelgrüne Farbgebung lässt darauf schließen, dass das Fahrzeug vom ehemaligen Bundesgrenzschutz (BGS) übernommen worden ist. Hier wird es als Zugwagen für einen minzgrün lackierten Absperrgitter-Anhänger eingesetzt. Diese so genannten »Hamburger Gitter« kommen bei Großveranstaltungen zum Einsatz, um Passanten in geordneten Bahnen führen zu können oder aber Straßen oder Plätze abzusperren.

»Hessen 1« – Das Führungs- und Ausbildungsboot
ist in Mainz-Kastel bei der Wasserschutzpolizeistation
Wiesbaden stationiert. Hier wurde die »Hessen 1«
während der Fußballweltmeisterschaft
2006 auf dem Main in Frankfurt eingesetzt.

Thyssen – SW 4. Bei diesem geschützten
Sonderwagen (Modell 4) handelt es sich um ein
Fahrzeug der Hessischen Bereitschaftspolizei.
Mit diesen Wagen ist der sichere Transport von
Polizeibeamten möglich, wenn es zu
gewalttätigen Auseinandersetzungen oder gar zu
Schießereien kommt.

»Hessen 5« – Strecken- und Streifenboot der Hessischen
Wasserschutzpolizei, stationiert bei der
Wasserschutzpolizeistation in Frankfurt am Main.
Das seit 1986 in Dienst stehende Boot ist mehrfach
modernisiert worden und kann eine Höchstgeschwindigkeit
von 55 km/h erreichen.

»Hessen 10« – Dieses Streifenboot der Hessischen
Wasserschutzpolizei wird auf der Lahn eingesetzt.

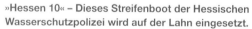

Rückansicht des SW 4. Hier ist das mitgeführte Räumschild zu erkennen, mit dem bei Bedarf Straßenbarrikaden aus dem Weg geschafft werden können.

Mercedes-Benz 2628 Wasserwerfer mit 9000 Liter Wasser (WaWe 9) der Bereitschaftspolizei Hessen. Mehrere solcher Fahrzeuge werden in jedem Bundesland bei der Bereitschaftspolizei und der Bundespolizei vorgehalten.

»Hessen 4« – Strecken- und Streifenboot der Hessischen Wasserschutzpolizei. Das neueste Boot in Hessen wurde 2005 durch die SET-Werft in Genthin an das Land übergeben. Das 16 t schwere Boot kann, dank seiner zwei eingebauten MTU-Dieselmotoren mit je 370 kW (503 PS), mit einer Höchstgeschwindigkeit von ca. 50 km/h die Einsatzstellen anlaufen. Stationiert ist das 15,40 m lange und 3,86 m breite Dienstboot auf dem Rhein in Rüdesheim.

Polizeihubschrauber MBB BO 105 CBS der Hessischen Polizei. Die Hubschrauberstaffel ist organisatorisch an die Bereitschaftspolizei angegliedert. Derzeit sind in Hessen, von Egelsbach aus, 3 Maschinen dieses Typs im Einsatz. Die BO 105 ist, aufgrund ihrer weiten Verbreitung, wohl der bekannteste Polizeihubschrauber in Deutschland. Einschließlich Besatzung können sieben Personen über eine Strecke von 575 km transportiert werden. Die Höchstgeschwindigkeit liegt bei 220 km/h.

Polizeihubschrauber Eurocopter EC 145 – hier über dem Main in Frankfurt. Der modernste Polizeihubschrauber in Hessen verfügt über insgesamt acht Sitzplätze und wird seit 2003 bei der PHuSt. in Hessen eingesetzt. Seit 2006 befinden sich drei Maschinen dieses Typs hier im Einsatz. Die Höchstgeschwindigkeit dieses Hubschraubers liegt bei 270 km/h und wird durch die zwei Turboméca Arriel 1E2-Turbinen ermöglicht.

Hier wird das Abseilen mit der Außenwinde aus dem Hubschrauber
auf dem Feldberg in Hessen geübt.

EC 145 der Hessischen Polizei im Hangar.
Mittlerweile sind alle Hubschrauber dieses Typs
in Silber-Blau umlackiert worden.

Mecklenburg-Vorpommern

Unimog U 2150 L – Bergungs- und Räumgerät der Bereitschaftspolizei
Mecklenburg-Vorpommern.
Hier wird das Fahrzeug als Zugmaschine für einen Anhänger mit
aufgeladenem Hartschalenboot eingesetzt.
Solche Fahrzeuge werden auch als »Zugmaschine mit Ladeeinrichtung« bezeichnet.

Niedersachsen

VW Touran TDI Funkstreifenwagen. Bei 103 KW (140 PS) ist die Höchstgeschwindigkeit mit 198 Km/h angegebenen. Aktuell werden auch zwei solcher Fahrzeuge mit Erdgasantrieb erprobt.

Mercedes E 220 cdi werden in Niedersachsen als Funkstreifenwagen vorwiegend auf den Autobahnen eingesetzt. 125 kW (170 PS) verleihen dem Fahrzeug eine ausreichende Beschleunigung und eine akzeptable Höchstgeschwindigkeit von etwa 200 km/h.

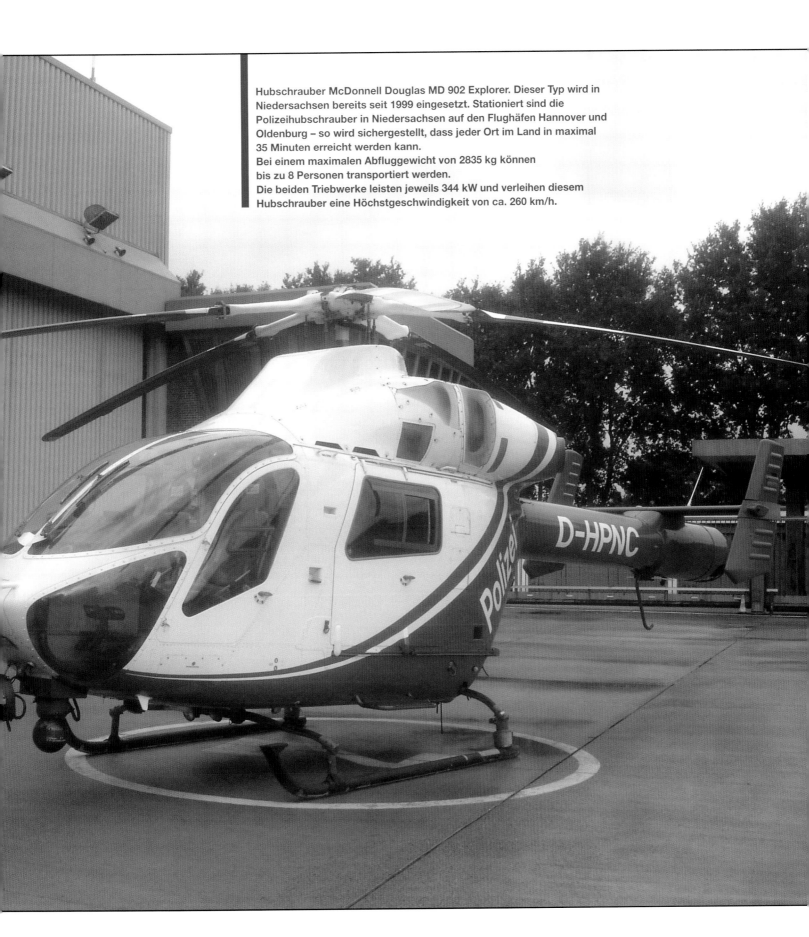

Hubschrauber McDonnell Douglas MD 902 Explorer. Dieser Typ wird in Niedersachsen bereits seit 1999 eingesetzt. Stationiert sind die Polizeihubschrauber in Niedersachsen auf den Flughäfen Hannover und Oldenburg – so wird sichergestellt, dass jeder Ort im Land in maximal 35 Minuten erreicht werden kann.
Bei einem maximalen Abfluggewicht von 2835 kg können bis zu 8 Personen transportiert werden.
Die beiden Triebwerke leisten jeweils 344 kW und verleihen diesem Hubschrauber eine Höchstgeschwindigkeit von ca. 260 km/h.

Nordrhein-Westfalen

VW Passat 2,0 TDI (B 6) Funkstreifenwagen der
Polizei Nordrhein-Westfalen (NRW).
Neue Fahrzeuge werden mit einem amtlichen
Landeskennzeichen (»NRW 4 – xxxx«) versehen.

»Toto und Harry« – mittlerweile durch ihre Fernsehauftritte bei »SAT 1« ein fester Begriff und die beste
Öffentlichkeitsarbeit für die gesamte Polizei und ihre Arbeit in Deutschland. Hier stehen sie vor ihrem bekannten
VW T 4-Streifenwagen in Bochum. Diese beiden Polizeibeamten haben das Ansehen einer ganzen Berufsgruppe,
möglicherweise nicht nur in Deutschland, bei der Bevölkerung nachhaltig verbessert. Zeigen sie bei allen ihren
Einsätzen doch ständig, dass Polizeibeamte auch Menschen sind, welche sich auf die ihnen jeweils begegnenden
Einsatzsituationen immer wieder neu einstellen und entsprechend einfühlsam reagieren müssen,
manchmal eben auch mit den nötigen, unvermeidlichen Konsequenzen.

Heckansicht des Passat B 6. Diese neuen
Passat-Streifenwagen sind unter anderem mit
folgenden Neuerungen ausgestattet:
Zündschloss/ Zündschlüssel – Bedienung der
»Start-Stop-Einrichtung« und Funkfernbedie-
nung ohne Schlüsselbart,
elektronische Parkbremse, automatische
Warnblinkfunktion (Notbremswarnblinken),
Park-Piloten vorne und hinten (nur akustisch)
und Direktschaltgetriebe (»DSG«).

Opel Vectra C 1,9 CDTI Funkstreifenwagen
der Polizei NRW. Eingesetzt wird dieses Fahrzeug
bei der Autobahnpolizei in Köln.

Heckansicht desselben Wagens.

Hier wird die Zusammenarbeit zwischen einem Hubschrauber (BK 117) der Polizeifliegerstaffel NRW und einem Streifenboot der Wasserschutzpolizei NRW (»WSP 12«, stationiert in Duisburg) auf dem Rhein geübt.

VW T 4 Unfallaufnahme- und Sicherungsfahrzeug der Autobahnpolizei in Köln. Gut erkennbar sind der Dachaufbau mit den Blitzleuchten und die im Heck verstauten Sicherungs- und Absperrgeräte.

Die geöffnete Heckklappe des Opel Vectra C gibt den Blick auf die umfangreiche Beladung frei.
Gut erkennbar ist das Absperr- und Warnmaterial, ebenso die gelben Blitzleuchten und die rot-weißen Absperrbaken.

»WSP 7« – Streifen- und Streckenboot der
Wasserschutzpolizei NRW.
Das Boot gehört zur derzeit (2006) zwölf Boote
umfassenden Serie »Rheinstreifenboot 2000«.
Die »WSP 7« ist am 27.06.2002 in Dienst gestellt
worden und wird von Emmerich aus eingesetzt.

Polizeihubschrauber MBB BO 105 CBS der Polizeifliegerstaffel NRW. Die Maschine setzt gerade auf der mobilen Plattform (Hersteller ist die Firma Wackerbauer) auf, mit der es ermöglicht wird, die Hubschrauber zurück in den Hangar zu drücken.
In NRW wird diese Dienststelle nicht als Polizeihubschrauberstaffel bezeichnet, da sie auch über Flächenflugzeuge verfügt. Diese werden in diesem Buch jedoch nicht vorgestellt, da sie nicht markiert und somit auch nicht als Polizeiflugzeuge erkennbar sind.

Polizeihubschrauber MBB 105 CBS bei der Menschenrettung aus offenen Gewässern.
Auch wenn es sich hier nur um eine Übung handelt, wird vom Piloten der Maschine, deren Kufen bereits ins Wasser eingetaucht sind, volle Konzentration verlangt.

Polizeihubschrauber BK 117 der Polizeifliegerstaffel NRW. Maschinen dieses Typs werden seit 1990 in NRW geflogen. Zwei der Helikopter wurden 2003 zu so genannten Alarmhubschraubern umgerüstet. Das maximale Abfluggewicht einer BK 117 liegt bei 3350 kg und es können maximal acht Personen bis zu 760 km weit transportiert werden. Die Höchstgeschwindigkeit liegt bei 278 km/h.

Polizeihubschrauber Eurocopter EC 155 der Polizeifliegerstaffel NRW. Mit 4800 kg Abfluggewicht kann dieser 324 km/h schnelle Polizeihubschrauber 14 Personen oder zehn voll ausgerüstete Beamte des »Sondereinsatzkommandos« (SEK) oder des »Mobilen Einsatzkommandos« (MEK) zum Einsatzort transportieren.

Rheinland-Pfalz

Mercedes-Benz C 220 CDI – Funkstreifenwagen der Polizei Rheinland-Pfalz.
Die 110 kW / 150 PS seines Motors verleihen dem Fahrzeug eine Höchstgeschwindigkeit von etwa 210 km/h.

Heckansicht des Mercedes-Benz C 220 CDI. Limousinen dieses Typs sind als Streifenwagen in Rheinland-Pfalz deutlich seltener anzutreffen als die Kombi-Version.

BMW R 1200 RT – Polizeimotorrad der Polizei Rheinland-Pfalz. Die neuen Polizeimotorräder in Rheinland-Pfalz erreichen mit ihren 81 kW / 110 PS eine Höchstgeschwindigkeit von über 200 km/h.

Mercedes-Benz C 220 CDI T – Standard-Funkstreifenwagen der Polizei Rheinland-Pfalz.
Ein Streifenwagen der PI Oppenheim, hier aufgenommen bei der Sperrung einer Fahrbahn.

Heckansicht eines Mercedes-Benz C 220 CDI T, dem als Streifenfahrzeug auch Fahrten in unwegsames Gelände nicht erspart bleiben.

BMW 750i L – sondergeschütztes Fahrzeug (SW 3) für
spezielle Aufgaben der Bereitschaftspolizei Rheinland-Pfalz.
Die 12-Zylinder-Maschine leistet aus 5379 cm³ 1249 kW / 326
PS und verleiht dem Fahrzeug eine Höchstgeschwindigkeit
von 210 km/h. Mit seiner Panzerung wiegt der Wagen 3065 kg
und verfügt über ein zulässiges Gesamtgewicht von 3475 kg.

Rückansicht des BMW 750i L – SW 3. Eingesetzt werden
solche Fahrzeuge u.a. zur Begleitung von Schutzpersonen
oder von Werttransporten,
wie z.B. Geldtransporten der Landeszentralbanken.

Land Rover Discovery 2,5 TDI – Führungsfahrzeug der Bereitschaftspolizei Rheinland-Pfalz. Die 102 kW / 139 PS verleihen dem Allradfahrzeug eine Höchstgeschwindigkeit von knapp 160 km/h.

Mercedes-Benz C 220 CDI T – Standard-Funkstreifenwagen der Rheinland-Pfälzischen Polizei.
Auch im Winter ist auf die Fahrzeuge aus dem Hause Daimler-Chrysler immer Verlass.

VW Sharan V 6 »4Motion« – Erprobungs-Funkstreifenwagen der Polizei Rheinland-Pfalz. Der V-6-Motor leistet 150 kW / 204 PS und verleiht dem Fahrzeug eine Höchstgeschwindigkeit von ca. 210 km/h.

Die Heckansicht dieses Fahrzeugs zeigt die bei der Autobahnpolizei in Rheinland-Pfalz getestete Warnlackierung, die die Erkennbarkeit an Einsatzstellen verbessern soll.

Hier wird der VW T 5 als Zugfahrzeug für den so genannten »Gurtschlitten«
der Landesverkehrswacht genutzt, der bei Öffentlichkeitsveranstaltungen die Schutzwirkung von
Sicherheitsgurten in Fahrzeugen anschaulich verdeutlicht.

VW T 4 2,5 TDI mit langem Radstand. Dieses Einzelstück wurde bei Autobahndienststellen der Polizei in Rheinland-Pfalz getestet.

VW T 5 – »4Motion« im Schnee, hier kann der VW-Bus die Vorteile seines Allradantriebs voll ausspielen.

VW T 5 2.5 TDI-»4Motion« – Mehrzweckfahrzeug der Polizei Rheinland-Pfalz.
Diese Fahrzeuge werden sowohl im normalen Streifendienst, wie auch als Zugfahrzeuge für Anhänger oder
Halbgruppenfahrzeuge bei geschlossenen Einsätzen verwendet.

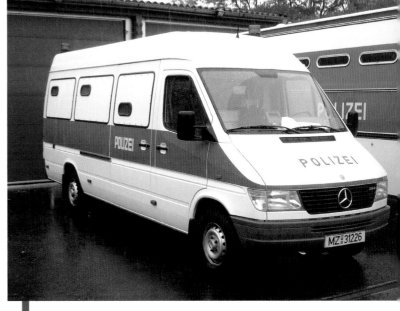

Mercedes-Benz Sprinter 314 Gefangenentransportfahrzeug der Polizei Rheinland-Pfalz.
Im Gegensatz zum vorherigen Fahrzeug ist dieser Wagen weiß lackiert und mit einer grünen »Bauchbinde« versehen.

Mercedes-Benz Sprinter 314 Gefangenentransportfahrzeug der Polizei Rheinland-Pfalz.

Die Heckansicht zeigt die Zwangsbelüftung auf dem Fahrzeugdach, sowie die Entlüftungsschlitze an den hinteren Türen.

Fiat Ducato 2,0 – Leichter Befehlskraftwagen (BefKw) der Bereitschaftspolizei Rheinland-Pfalz. Hier kommen, im Gegensatz zu anderen Bundesländern, ausschließlich die Modelle mit Benzinmotoren (94 kW / 128 PS) zum Einsatz.

Mercedes-Benz 410 – Logistik-Lkw zum Transport von Material und sonstigem Gerät.

Mercedes-Benz 508 D Lautsprecherkraftwagen (LauKw) der Bereitschaftspolizei Rheinland-Pfalz. Das 1982 gebaute Fahrzeug verfügt über einen 4-Zylinder-Dieselmotor mit 63 kW / 85 PS.

Mercedes-Benz L 911 – Küchenkraftwagen der
Bereitschaftspolizei in Rheinland-Pfalz.
Mit diesen Fahrzeugen wird die Versorgung
der eingesetzten Beamten bei Großeinsätzen
sichergestellt.

Mercedes-Benz 1017 – Geräte-Gruppenkraftwagen (GKW) der Bereitschaftspolizei
Rheinland-Pfalz.
Mit diesen Fahrzeugen wird technisches Gerät
und Personal zu den Einsätzen gebracht.

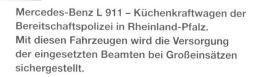

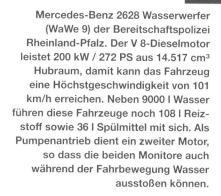

Mercedes-Benz 2628 Wasserwerfer
(WaWe 9) der Bereitschaftspolizei
Rheinland-Pfalz. Der V 8-Dieselmotor
leistet 200 kW / 272 PS aus 14.517 cm³
Hubraum, damit kann das Fahrzeug
eine Höchstgeschwindigkeit von 101
km/h erreichen. Neben 9000 l Wasser
führen diese Fahrzeuge noch 108 l Reiz-
stoff sowie 36 l Spülmittel mit sich. Als
Pumpenantrieb dient ein zweiter Motor,
so dass die beiden Monitore auch
während der Fahrbewegung Wasser
ausstoßen können.

Setra S 211 H – Gefangenentransportwagen
der Polizei Rheinland-Pfalz.
Bei Großeinsätzen ist es notwendig solche
Fahrzeuge einzusetzen, um eine größere
Anzahl von vorläufig festgenommenen
Personen kurzfristig verwahren zu können,
bis sie durch kleinere GefKw zum zentralen
Polizeigewahrsam gebracht werden können.
Der GefKw verfügt über sieben Einzel-,
vier Doppel-, zwei Vierer-Zellen und eine
Fünfmannzelle.

Polizeihubschrauber Eurocopter EC 135 der
Polizeihubschrauberstaffel (PHuSt) Rheinland-Pfalz.

»WSP 5« – Streifen- und Streckenboot der
Wasserschutzpolizei Rheinland-Pfalz.
Eingesetzt wird dieses Boot auf dem Rhein,
von der Wasserschutzpolizeistation Mainz aus.
Gebaut wurde es von der »Neckar Bootsbau
Ebert GmbH« in Neckarsteinach 1989.
Angetrieben wird das 14,90 m lange und
3,70 m breite Boot von zwei MAN-Motoren
mit je 277 kW / 376 PS.

Saarland

Landrover Discovery der Wasserschutzpolizei des Saarlandes. Dieses bisher einzige silber-blaue Fahrzeug im Saarland wird als Zugwagen für den Bootsanhänger eingesetzt.

Peugeot 406 HDI – Funkstreifenwagen der Polizei im Saarland. Der Vier-Zylinder-Dieselmotor leistet 97 kW / 132 PS und beschleunigt den Wagen auf 187 km/h Höchstgeschwindigkeit.

Segway HT »Human Transporter«. Bei dem Segway HT handelt es sich um einen einachsigen Elektroroller mit einer Höchstgeschwindigkeit von 20 km/h und einer Reichweite bis zu 30 Kilometern pro Akkuladung. Dieser neuartige Roller kann der Polizei hilfreiche Dienste dabei leisten, den Radius ihrer »Fuß«-Streifen zu vergrößern. Saarbrücken mit seinen vielen Fußgängerzonen und Radwegen bot sich für einen dreimonatigen Test während eines Pilotprojekts an. Im Saarland wird die Zulassungsfähigkeit des »Segway HT« im öffentlichen Verkehrsraum überprüft. Zu diesem Zweck erhielten 2006 die Polizei in Saarbrücken und das Ordnungsamt in Neunkirchen je drei Segway HT zur Erprobung auf Streifenfahrten.

Sachsen

BMW 320 d Touring – Funkstreifenwagen der Polizei in Sachsen, hier aufgenommen in Dresden.

BMW 525 d Touring – Führungsfahrzeug der Bereitschaftspolizei Sachsen.

VW Touareg – der Polizei Sachsen. Dieses Fahrzeug dient bei der Reiterstaffel in Dresden als Zugwagen für Pferdetransportanhänger. Ein ähnliches Fahrzeug wird dort auch bei der Wasserschutzpolizei eingesetzt.

Heckansicht des sächsischen VW Touareg.

VW T 4 mit langem Radstand – Halbgruppenfahrzeug der Polizei Sachsen. Die zusätzliche linke Schiebetür erleichtert das schnelle Ein- und Aussteigen der Beamten.

VW Golf IV Variant – Funkstreifenwagen der Polizei Sachsen.
Bei diesem weiß lackierten Fahrzeug wurden die beweglichen
Teile mit minzgrüner Folie abgesetzt.

Heckansicht des gleichen Fahrzeugs.

VW T 5 – Halbgruppenfahrzeug der Bereitschaftspolizei
Sachsen in der neuen, silbernen Grundfarbe und
grüner »Bauchbinde«. Im Gegensatz zu den Funkstreifenwagen verfügen die Bepo-Fahrzeuge über zusätzliche
»Straßenräumer« (blaue Blitzlichter) im Kühlergrill.

Rückansicht desselben Fahrzeugs.
Die zusätzliche blaue Rundumleuchte am Heck
soll die Erkennbarkeit verbessern.

Mercedes-Benz Sprinter 416 CDI – Bundeseinheitlicher Lautsprecherkraftwagen der Bereitschaftspolizei Sachsen.
Die Grundfarbe ist weiß, die Bauchbinde in grüner Folie aufgeklebt.

VW LT 35 – Kontrollstellenfahrzeug der Polizei in Sachsen,
aufgenommen in Dresden.

Diese Aufnahme zeigt den »Bundes-LauKw« im
Einsatz bei einem Tag der offenen Tür der Bereitschaftspolizei in Dresden. Gut zu erkennen ist die
externe Stromversorgungsmöglichkeit.

VW LT 45 TDI – Kontrollstellenfahrzeug
der Polizei in Sachsen. Eingesetzt
wird das Fahrzeug von der Bereitschaftspolizei zur Kontrolle von Lkw.

Mercedes-Benz 611 D – Logistik-Lkw der
Bereitschaftspolizei Sachsen.

Ford Transit 125 T 330 – bundeseinheitlicher
Gruppenkraftwagen, Baujahr 2003 mit Reflexstreifen der Bereitschaftspolizei Sachsen.

Mercedes-Benz 711 D – Dieses Fahrzeug
wird als Gerätewagen mit Stromerzeuger für den
Landesbefehlskraftwagen eingesetzt.

Mercedes-Benz 914 – Pferdetransportfahrzeug der Polizei Sachsen. Die Reiterstaffel in Dresden ist mit diesem Fahrzeug in der Lage, bis zu vier Pferde sowie die dazugehörige Ausrüstung (Sättel und Zaumzeug) zu transportieren.

Mercedes-Benz 1833 Sattelzugmaschine mit Auflieger. Dieser Sattelzug wird als Landesbefehlskraftwagen in Sachsen eingesetzt. Aufgebaut wurde der BefKw von der Firma Erhardt aus Dresden. Im Auflieger sind ein Lage- und Besprechungsraum, ein Fernmeldebetriebsraum und ein Versorgungsbereich untergebracht.

Mercedes-Benz 1117 – Einsatzfahrzeug der Bereitschaftspolizei Sachsen mit Dekompressionskammer. Eingesetzt wird diese Druckkammer z.B. immer nach Tauchunfällen.

Die geöffneten Hecktüren geben die Sicht auf die Dekompressionskammer frei. Diese Kammer dient den Polizeitauchern während eines Einsatzes zur Sicherheit und steht bei eventuellen Tauchunfällen als erstes Rettungsmittel zur Verfügung. Sie wird vor Ort zur schnellen Rekompression einer Person und anschließendem Transport zur stationären Weiterbehandlung eingesetzt. Die Kammer ist im Notfall auch per Hubschrauber transportierbar.

Heckansicht des »Landes-BefKw Sachsen«,
den es in dieser Art auch nur hier im Freistaat gibt.
Die Stromversorgung wird durch
einen Gerätewagen, der einen Anhänger mit Stromaggregat
mitführt, sichergestellt.

Iveco Euro Cargo 130 E 18 – Küchenkraftwagen
der Bereitschaftspolizei Sachsen. Diese Küchenwagen
der neuesten Generation kommen bei allen Bereitschaftspolizeien
der Länder und bei der Bundespolizei zum Einsatz.

Mercedes-Benz 1117 Lkw mit
Ladebordwand. Eingesetzt
wird dieses Fahrzeug für vieler-
lei Transportaufgaben sowie als
Zugfahrzeug für
verschiedene Anhänger.

Die Heckansicht zeigt die hydraulische Ladebordwand
in Fahrstellung. Die elastischen rot-weißen
Warnflächen verbessern die Erkennbarkeit der
Bordwand in geöffnetem, also waagerechtem Zustand.

Multicar mit Schneepflug. Auch hierbei handelt es sich um
ein Polizeifahrzeug – allerdings kommt es nur innerhalb der
Bereitschaftspolizeiabteilung in Dresden zum
Einsatz und dient hier der Unterhaltung des Anwesens.

»WSP 03 (Prießnitz) – Streifen- und Streckenboot der Wasserschutzpolizei Sachsen. Dieses Jetboot wurde 1992 von der Firma Fleischhauer gebaut und erreicht mit seinem »Jetantrieb« eine Höchstgeschwindigkeit von 56 km/h.

Das Polizeiboot »Prießnitz« ist in Dresden stationiert und versieht auf der Elbe seinen Dienst.
Die Maße werden mit 12,40 Länge, 3,70 m Breite und 0,55 m Tiefgang angegeben.

Polizeihubschrauber Sokol W 3-A der Polizeihubschrauberstaffel Sachsen.
Hersteller ist die Firma PZL Swidnik in Polen. Wirtschaftliche Gesichtspunkte gaben den Ausschlag, dieses Hubschraubermuster zu beschaffen. Mit seinen beiden Triebwerken vom Typ »PZL 10 W« mit je 662 kW/ 900 PS erreicht der Hubschrauber eine Maximalgeschwindigkeit von 260 km/h und kann dabei, bei maximaler Startmasse von 6400 kg, bis zu 10 Beamte transportieren.

Sachsen-Anhalt

VW Golf IV – Funkstreifenwagen der Polizei Sachsen-Anhalt.
Die letzten weißen Polizeifahrzeuge wurden hier in weißer Grundfarbe und grüner »Bauchbinde« beschafft.

Heckansicht zweier Mercedes-Benz E 280 CDI T der
Autobahnpolizei in Sachsen Anhalt.

Mercedes-Benz E 280 CDI T der Polizei in Sachsen-Anhalt. Diese Fahrzeuge werden, nunmehr auch in silberner
Grundfarbe und blauer »Bauchbinde«, bei den Autobahndienststellen eingesetzt.

Schleswig-Holstein

Mercedes-Benz 2628 Wasserwerfer der Bereitschaftspolizei Schleswig-Holstein. Der bundesweit erste Wa-
We 9 in silberner Grundfarbe mit blauer »Bauchbinde«
ist in Schleswig-Holstein im Einsatz. Das Fahrzeug
wurde, nach umfangreicher Generalüberholung, der
neuen Farbgebung angepasst.

VW Passat Variant – Funkstreifenwagen der Polizei Schleswig Holstein in neuer,
silberner Grundfarbe mit blauer »Bauchbinde« sowie Reflexstreifen. Auch in Schleswig-Holstein werden
Einsatzfahrzeuge der Polizei nunmehr mit den amtlichen Landeskennzeichen »SH – 3xxxx« versehen.
Hier bleibt es allerdings, im Gegensatz zu Nordrhein-Westfalen, noch bei der für Polizeifahrzeuge
üblichen »3« und vermutlich auch der »7« als erste Unterscheidungsziffer.

Küstenstreifenboot »Fehmarn«. Das Boot wird von der Wasserschutzpolizei Schleswig-Holstein vom Wasserschutzpolizeirevier (WSPR) Heiligenhafen aus, in der Howachter Bucht, rund um Fehmarn und der Lübecker Bucht eingesetzt und kann bei Bedarf auf der ganzen Ostsee operieren.
Die Grunddaten lauten:
Bauwerft: J.G. Hitzler Schiffswerft, Lauenberg, Baujahr: 1988, Motoren: zwei Deutz MWM TBD 604 B V12 mit je 1200 kw / 1632 PS bei 2300 U/Min, Höchstgeschwindigkeit: 21 kn (ca. 39 km/h), Länge: 28,50 m, Breite: 6,60 m, Tiefgang: 1,90 m, BRT: 110.

Thüringen

Opel Astra B Caravan – Funkstreifenwagen der Polizei Thüringen. Bei diesem weißen Fahrzeug
sind die beweglichen Teile noch komplett mit minzgrüner Folie beklebt.

Mercedes-Benz C 220 CDI T – Funkstreifenwagen der Polizei Thüringen. Bei dieser Aufnahme des in der
Halle abgestellten Fahrzeugs kommt die Leuchtkraft der Reflexstreifen sehr gut zur Geltung.

BMW 5 Touring – Funkstreifenwagen der Polizei Thüringen. Gut erkennbar ist hier der
in der Sondersignalanlage (Hella RTK 6 SL) integrierte Einsatzstellenscheinwerfer des bei der Autobahnpolizei
in Waltershausen stationierten Fahrzeugs.

VW T 5 – Mehrzweckfahrzeug der
Polizei Thüringen.
Dieser VW-Bus ist bei der Autobahnpolizei am
Hermdorfer Kreuz im Einsatz.

Mercedes-Benz Vito – Mehrzweckfahrzeug
der Polizei Thüringen.

Mercedes-Benz Vario 814 D – Kontrollstellenfahrzeug der
Autobahnpolizei in Thüringen.
Dieses Fahrzeug gestattet es, sämtliche Ausrüstung, die zur
Einrichtung einer Kontrollstelle notwendig ist,
mitzuführen. Zusätzlich ist auch die Bearbeitung der dort
anfallenden Arbeiten im Fahrzeug möglich, da es über
entsprechende Schreibplätze verfügt.

Polizeihubschrauber (PHS) MBB Bo 105 CBS der Polizeihubschrauberstaffel Thüringen. Der Hubschrauber steht noch auf einer mobilen Plattform und wird durch das Landebasisfahrzeug betankt.

Bei diesem handelt es sich um einen Mercedes-Benz Vario 612 D, dessen Dieselmotor aus 2874 cm³ 85 kW / 116 PS entwickelt und somit eine Höchstgeschwindigkeit von 115 km/h erlaubt. Das zulässige Gesamtgewicht beträgt 5990 kg, bei 4595 kg Leergewicht. In dem Spezialaufbau sind unter anderem untergebracht: Ein Kraftstoffbehälter mit 1000 l Fassungsvermögen für Flugkraftstoff, eine Betankungsanlage für PHS, eine Lichtmastanlage, die das Arbeiten bei Dunkelheit erlaubt, sowie ein Windsack. So kann das Fahrzeug als mobile Bodenstation eingesetzt werden und ermöglicht eine Betankung der PHS im Einsatzraum.

163

Drei Polizeihubschrauber der PHuSt Thüringen auf dem Flughafen Erfurt, ihrer Heimatbasis.
Ein PHS ist mit Wärmebild- und Tageslichtkamerasystem sowie Suchscheinwerfer für den Nachteinsatzflug
ausgerüstet. Im Bedarfsfall können die PHS mit Bergetausystem, Rettungskorb oder
Feuerlöschbehälter ausgerüstet werden.

Polizeihubschrauber MBB BO 105 CBS der PHuSt Thüringen bei einer Übung zur Waldbrandbekämpfung. Am Außenlasthaken ist ein Feuerlöschbehälter, mit dem gerade Wasser aus einem Baggersee aufgenommen wird, befestigt.

Polizeibehörden des Bundes

Auch wenn Polizei in Deutschland normalerweise zum Kompetenzbereich der Länder gehört, existieren auch hier länderübergreifende Sicherheitsbehörden, die direkt dem Bund unterstellt sind.

Zu diesen gehören die Bundespolizei (Bpol) und das Bundeskriminalamt (BKA).

Beide nutzen eine Reihe spezieller Fahrzeuge bei ihren Einsätzen, die in diesem Kapitel vorgestellt werden.

BP 23 »Bad Düben«.
Die »BP 23« ist bereits 1988 als Raketenschnellboot »Binz« für die DDR-Volksmarine vom Stapel gelaufen, dort war es jedoch nicht mehr im aktiven Einsatzdienst.
Nach der Wiedervereinigung der beiden deutschen Staaten entschied man sich im Bundesinnenministerium, anstatt eines zweiten Schiffes vom Typ BG 21, die »BREDSTEDT« als Neubau in Auftrag zu geben, Einheiten aus dem »Osten« für den damaligen »Bundesgrenzschutz« zu übernehmen.

Die Indienststellung erfolgte dann 1996 als BG 23 »Bredstedt«, die 2005, im Jahr der Umbenennung des Bundesgrenzschutzes zur Bundespolizei, zur »BP 23« umgekennzeichnet wurde.
Die Höchstgeschwindigkeit des Schiffes liegt bei 24 kn (ca.44 km/h), die Maschinenanlage leistet zwei Mal 2700 kW (3671 PS) Dauerleistung.
Der zusätzliche dieselelektrische Antrieb von 200 kW (272 PS) kann das Schiff immerhin noch mit 6 kn (ca.11 km/h) in Fahrt halten.
Die Schiffsmaße sind angegeben wie folgt:
Länge: 48,90 m, Breite: 8,65 m, Tiefgang: 2,45 m.

Die Bundespolizei und ihre Aufgaben

Die Bundespolizei, 2005 aus dem ehemaligen Bundesgrenzschutz (BGS) hervorgegangen, ist dem Bundesministerium des Innern unterstellt. Im Sicherheitssystem der Bundesrepublik Deutschland nimmt sie umfangreiche und vielfältige polizeiliche Aufgaben wahr, die im Gesetz über die Bundespolizei, aber auch in zahlreichen anderen Rechtsvorschriften, wie im Aufenthaltsgesetz, im Asylverfahrensgesetz und im Luftsicherheitsgesetz, geregelt sind.

Sie arbeitet auf der Grundlage von Sicherheitskooperationen eng mit den Polizeien und anderen Sicherheitsbehörden von Bund und Ländern sowie darüber hinaus mit vielen ausländischen Grenzbehörden zusammen.

Mit rund 30.000 Polizeivollzugsbeamtinnen und -beamten ist sie eine bundesweit einsetzbare Polizei, die einen wichtigen Beitrag für die innere Sicherheit der Bundesrepublik Deutschland und Europa leistet.

Eurocopter »EC 135«, bereits in der neuen, blauen Lackierung der Bundespolizei, hier aufgenommen über dem Grandhotel »Petersberg« im Siebengebirge.
Diese Hubschrauber werden bei der Bundespolizei als Verbindungs- und Beobachtungshubschrauber verwendet und lösen mehr und mehr die immer noch im Einsatz stehenden Alouette II ab.
Die Maschine ist in der Lage, eine Außenlast von 1360 kg am Lasthaken zu transportieren. Das maximale Abfluggewicht liegt bei 2720 kg, die maximale Zuladung bei 690 kg.
Die Reisegeschwindigkeit ist mit 234 km/h angegeben, die Höchstgeschwindigkeit mit 257 km/h.
Dieser Helikopter verfügt über sieben Sitzplätze (einschließlich Besatzung) und kann maximal 640 km weit mit einer Tankfüllung fliegen.

Grenzpolizeiliche Aufgaben

Der grenzpolizeiliche Schutz des Bundesgebietes (Grenzschutz) umfasst die polizeiliche Überwachung der Grenzen zu Lande, zu Wasser und aus der Luft (Grenzlänge: rund 4.615 km - 760 km davon Seegrenzen, also Schengen-Außengrenzen). Dazu zählen die polizeiliche Kontrolle des länderüberschreitenden Verkehrs einschließlich der Überprüfung der Passdokumente und damit der Berechtigung zum Grenzübertritt.

Weiterhin die Fahndung im Grenzgebiet bis zu einer Tiefe von 30 Kilometern und von der seewärtigen Begrenzung an bis zu einer Tiefe von 50 Kilometern, und die Abwehr von Gefahren, welche die Sicherheit der Grenzen beeinträchtigen.

Der »Grenzschutz« wird nicht nur in unmittelbarer Nähe zur Staatsgrenze oder im grenznahen Raum, sondern auch im Inland auf Flug- und Seehäfen (jeweils mit grenzüberschreitendem Verkehr) und auf dem Gebiet der Bahnanlagen der Eisenbahnen des Bundes sowie in deren Zügen wahrgenommen.

Die Präsenz der Bundespolizei an den Schengen-Binnengrenzen bleibt auch nach Inkrafttreten des »Schengener Durchführungsübereinkommens« (SDÜ) erforderlich, um die grenzüberschreitende Kriminalität wirkungsvoll bekämpfen zu können. Dabei erfüllt die Bundespolizei, allerdings mit Schwerpunkt an den Außengrenzen, besondere Grenzsicherungsaufgaben, vor allem zur Verhinderung unerlaubter Einreisen von Nicht-EU-Bürgern, zur Bekämpfung von Schleusungskriminalität und weiterer im Zusammenhang mit grenzüberschreitender Kriminalität stehender Delikte, wie beispielsweise Menschenhandel, Kfz-Verschiebung, Rauschgiftkriminalität und Urkundenfälschung.

Der Wegfall der regulären Grenzkontrollen wird dabei durch ereignisabhängige Personen- und Fahrzeugkontrollen ersetzt.

Schutz vor Angriffen auf die Sicherheit des Luftverkehrs

Die Bundespolizei trifft in eigener Zuständigkeit die gemäß Luftsicherheitsgesetz erforderlichen Maßnahmen zum Schutz vor Angriffen auf die Sicherheit des zivilen Luftverkehrs an den 15 größten internationalen Flughäfen in Deutschland. Auf den 22 kleineren Flughäfen erfüllen die Länder im Auftrag des Bundes die Luftsicherheitsaufgaben.

Hierbei gilt es u.a., Flugzeugentführungen und Sabotageakte zu verhindern.

Diesen Schutzauftrag erfüllt die Bundespolizei für jeden sichtbar durch die Überprüfung der Fluggäste inklusive ihres mitgeführten Hand- und Reisegepäcks, und das unter Einsatz modernster Kontrolltechnik. Sie trifft weiterhin Maßnahmen bei der Entdeckung von Gegenständen, von denen eine Gefahr ausgehen könnte, z.B. durch die Sicherstellung verbotener Objekte, von Waffen und Munition oder durch Entschärfung unkonventioneller Spreng- und Brandvorrichtungen.

Außerdem obliegt ihr die Überwachung des gesamten Flughafengeländes und sie führt spezielle Schutzmaßnahmen bei besonders gefährdeten Flügen und Luftfahrtunternehmen durch.

Aufgaben auf See

Im gesamten deutschen Küstenmeer ist die Bundespolizei für den grenzpolizeilichen Schutz des deutschen Staatsgebietes zuständig.

Hierbei werden Aufgaben der Schifffahrtspolizei, des Umweltschutzes, der Fischereikontrolle und die Überwachung von Forschungshandlungen wahrgenommen. Außerhalb des deutschen Küstenmeeres ist sie die zuständige Polizei für allgemeinpolizeiliche Aufgaben, zu denen die Bundesrepublik Deutschland nach dem Völkerrecht befugt ist. Die Bundespolizei ist seit Juli 1994 Teil der »Küstenwache des Bundes«, einem Koordinierungsverbund der Vollzugskräfte des Bundes zur See, zu dem auch der Zoll, die Wasser- und Schifffahrtsverwaltung, sowie der Fischereischutz gehören.

Unterstützung anderer Bundesbehörden

Die Bundespolizei unterstützt den Präsidenten des Deutschen Bundestages bei der Wahrnehmung des Hausrechtes und der Polizeigewalt im Gebäude des Bundestages, das Auswärtige Amt bei Schutzaufgaben an mehr als 50 deutschen Auslandsvertretungen und das Bundeskriminalamt bei der Durchführung seiner Personenschutzaufgaben.

Schutz von Bundesorganen

Die Bundespolizei schützt im Einvernehmen mit den Ländern Berlin und Baden-Württemberg die aus polizeilicher Sicht gefährdeten Verfassungsorgane des Bundes sowie Bundesministerien gegen Störungen und Gefahren, die die Durchführung ihrer Aufgaben beeinträchtigen könnten. Der Schutz wird durch die Kontrolle des Personen- und Fahrzeugverkehrs sowie durch die erkennbare Streifenpräsenz erreicht.

Verwendung zur Unterstützung eines Bundeslandes

Die Polizeien der Bundesländer werden auf Anforderung durch Einheiten der Bundespolizei unterstützt, und zwar zur Aufrechterhaltung oder Wiederherstellung der öffentlichen Sicherheit und Ordnung, z.B. bei Demonstrationen, zur Hilfe bei Naturkatastrophen oder besonders schweren Unglücksfällen, zur Abwehr drohender

Gefahren für den Bestand oder die freiheitliche demokratische Grundordnung des Bundes oder eines Landes.

Die Tätigkeitsfelder der Bundespolizei

»Grenzschutzgruppe 9« (GSG 9)

Vielen ist sicherlich noch die eine oder andere Medienberichterstattung über die »GSG 9« in Erinnerung geblieben, als sie durch die Befreiung der Geiseln aus der entführten Lufthansa-Maschine »Landshut« 1977 in der somalischen Hauptstadt Mogadischu weltberühmt wurde.

Der Einsatz dieser Spezialeinheit verfolgt primär das Ziel, gefährdete Menschenleben zu retten.

Die »GSG 9« wird sowohl offen als auch verdeckt zur Bewältigung komplexer und / oder besonders gefährlicher Situationen eingesetzt, wenn Widerstand unter Anwendung von Waffen, Explosivstoffen, Sprengvorrichtungen, Gefahrstoffen, schädlichen Organismen oder anderer bedrohlicher Materialien nicht auszuschließen ist.

Flugdienst

Etwa 770 Polizeivollzugsbeamtinnen und -beamte aus den Fliegerstaffeln der fünf Bundespolizeipräsidien und der Fliegergruppe bilden den Flugdienst der Bundespolizei.

Die Einsatzfelder der Polizeihubschrauber des Bundes umfassen u.a. die Überwachung der Grenzen, einschließlich der seewärtigen Grenze im Bereich der Nord- und Ostsee, den Transport von Polizeikräften bei Großeinsätzen, die Un-

terstützung des Bundeskriminalamtes, die Hilfe bei schweren Unglücks- und Katastrophenfällen im In- und Ausland, den Luftrettungsdienst sowie die Beförderung von sicherheitsgefährdeten Personen des politischen und parlamentarischen Bereichs des Bundes und der Länder, außerdem von Staatsgästen der Bundesregierung.

Reiterstaffel

Die Bundespolizei unterhält eine Reiterstaffel beim Bundespolizeiamt in Berlin mit Dienstorten in den Stadtbezirken Spandau und Grünewald. Sie ist der dortigen Bundespolizeiinspektion »Polizeiliche Sonderdienste« angegliedert.

Dienstpferde haben einen besonders hohen Einsatzwert, weil sie unabhängig von der Witterung und auch in unwegsamem Gelände einsetzbar sind.

Sie werden u.a. zum Schutz von Bundesorganen, im bahnpolizeilichen Bereich und zum Schutz vor Angriffen auf die Sicherheit des Luftverkehrs herangezogen.

Diensthundewesen

Derzeit stehen etwa 600 Diensthunde, meist Schäferhunde, bei der Bundespolizei im Dienst. Sie begleiten ihre Diensthundführer bei der täglichen Arbeit, während der Fortbildung und auch bei besonderen Einsätzen.

Der größte Teil dieser Hunde lebt in den Familien der Hundführer.

Ausstattung / Führungs- und Einsatzmittel der Bundespolizei

Zur Wahrnehmung ihrer vielfältigen Aufgaben verfügt die Bundespolizei über eine umfangreiche und moderne Ausstattung, die dem jeweiligen Stand der Technik angepasst und ständig optimiert wird.

Der Fuhrpark entspricht den Einsatzerfordernissen der Bundespolizei und umfasst rund 6.800 Kraftfahrzeuge bei annähernd 250 unterschiedlichen Typen.

Im Bereich des Flugdienstes verfügt die Bundespolizei derzeit über insgesamt 78 Polizeihubschrauber unterschiedlicher Muster.

Zur Bewältigung der maritimen Aufgaben setzt die Bundespolizei aktuell mehr als 20 Patrouillen- und Kontrollboote ein, die sowohl dem Bundespolizeiamt See als auch den Bundespolizeiämtern Rostock, Frankfurt/Oder und Hamburg zugeordnet sind.

Bundespolizei – aktueller Wechsel des Fahrzeug-Designs

Die Fahrzeuge der Bundespolizei (BPol) werden seit neuestem in weißer oder silberner Grundfarbe beschafft, die der bereits von den Landespolizeien bekannte blaue Streifen in der Fahrzeugmitte ziert.

Ältere, noch aus den Beständen des ehemaligen Bundesgrenzschutzes (BGS) stammende Fahrzeuge, sind auch heute noch im alten Schwarzgrün (RAL 6012) oder dem früheren Minzgrün (RAL 6029) anzutreffen.

Gleiches gilt im Übrigen auch für Fahrzeuge der Bereitschaftspolizeien der Länder (BePo).

Landfahrzeuge

VW Golf IV – Funkstreifenwagen der Bundespolizei,
hier eingesetzt bei der Bundespolizeiinspektion Frankfurt
am Main und stationiert am Hauptbahnhof.
Das Fahrzeug ist bereits auf das neue amtliche
Kennzeichen (»BP xx – xxx«) umgekennzeichnet worden.

BMW 525 d Touring der Bundespolizei.
Dieses Führungs- bzw. Funkstreifenfahrzeug ist bereits
in silberner Grundfarbe lackiert und mit grüner
»Bauchbinde« sowie Reflexstreifen versehen. Auch dieser
Wagen trägt schon das neue amtliche Kennzeichen.

Ford Scorpio Turnier der Bundespolizei. Fahrzeuge dieser
Art werden als Führungsfahrzeuge der geschlossenen
Verbände bei Großeinsätzen verwendet, genauso wie als
Funkstreifenwagen im Bereich der zugewiesenen Aufga-
ben z.B. des »Grenzschutzes« oder der »Bahnpolizei«.

Ford Galaxy der Bundespolizei.
Diese Großraumlimousinen traten die
Nachfolge des Scorpio an, als Ford
dessen Produktion eingestellt hat.
Beide Typen werden aber immer noch in
komplett grüner Lackierung eingesetzt.

Mercedes-Benz Vito 112 CDI –
Hundetransportfahrzeug der Bundespolizei.
Dieses Fahrzeug wurde am Hauptbahnhof
in Stuttgart eingesetzt.

Mitsubishi Pajero – Geländegängiger Funkstreifenwagen bzw. Führungsfahrzeug bei geschlossenen
Einsätzen der Bundespolizei. Das Fahrzeug trägt noch
das alte amtliche Kennzeichen »BG xx – xxx«,
das für den damaligen »Bundesgrenzschutz«, aus dem
die »Bundespolizei« 2005 hervorgegangen ist, ausge-
geben worden war.

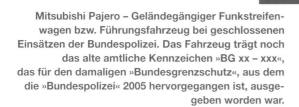

Heckansicht desselben Fahrzeugs.

VW T 4 – Hundetransportfahrzeug der Bundespolizei.
Das Fahrzeug ist bei der Bundespolizeiinspektion
Frankfurt am Main am Hauptbahnhof eingesetzt.
Auch dieses Fahrzeug hat bereits das neue amtliche
Kennzeichen erhalten.

VW T 4 – Halbgruppenwagen der Bundespolizei.
Dieses Fahrzeug ist noch komplett in Minzgrün lackiert und
ist am Kühlergrill mit zusätzlichen blauen Blitzleuchten,
den so genannten »Straßenräumern« ausgerüstet.

VW T 4 – Halbgruppenfahrzeug der Bundespolizei. Die VW-Busse der modifizierten T 4-Reihe waren schon in weißer
Grundfarbe und mit grüner Folienbeklebung beschafft worden.

VW T 4 – Hundetransportfahrzeug der Bundespolizei.
Das noch komplett minzgrün lackierte Fahrzeug ist bei der
Bundespolizeiinspektion Frankfurt am Main am Hauptbahnhof eingesetzt. Auch dieses Fahrzeug ist bereits mit dem
neuen amtlichen Kennzeichen versehen worden.

VW T 5 und VW T 4 Funkstreifenwagen der Bundespolizei. Diese weißen Fahrzeuge werden
bei der Bundespolizeiinspektion München am Hauptbahnhof verwendet.
Der T 5 ist bereits mit der neuen blauen »Bauchbinde«, jedoch noch mit altem »BG-Kennzeichen« ausgerüstet.

VW T 5 – Hundetransportfahrzeug der Bundespolizei. Stationiert ist dieses Fahrzeug am Hauptbahnhof in Frankfurt am Main. Im Gegensatz zu den Länderpolizeien behält die Bundespolizei bei ihren Bussen offensichtlich noch weiß als Grundfarbe, wogegen die 5-er BMW bereits in Silbern ausgeliefert werden.

Mercedes-Benz Vito 111 CDI – Funkstreifenwagen der Bundespolizei – eingesetzt bei der Bundespolizeiinspektion Frankfurt am Main.

Heckansicht eines VW – T 5 der Bundespolizei.

Mercedes-Benz Vito 111 CDI – Hundetransportfahrzeug der Bundespolizei – ebenfalls eingesetzt bei der Bundespolizeiinspektion Frankfurt am Main.

Heckansicht eines Mercedes-Benz Vito-Funkstreifenwagens der Bundespolizei.

Ford Transit 125 T 330 – Gruppenwagen der Bundespolizei.

Heckansicht eines Ford-Transit-Gruppenwagens der Bundespolizei.

Ford Transit Bearbeitungswagen mit Hochdach. Das Fahrzeug ist mit Schreibarbeitsplätzen und Zellen ausgerüstet, was die Vernehmung von bei Großeinsätzen in Gewahrsam genommenen Personen vor Ort gestattet.

Ford Transit 115 T 330 – Gruppenwagen der neuesten Generation der Bundespolizei. Die weiß lackierten Fahrzeuge werden nun mit einer blauen »Bauchbinde« und Reflexstreifen versehen.

Unimog U 2150 L – Bergungs- und Räumgerät der Bundespolizei. Ausgestattet mit Ladeschaufel und Ladekran kann das Fahrzeug vielseitig eingesetzt werden.

Mercedes-Benz 711 D – Gruppenwagen der Bundespolizei. Das Fahrzeug ist bei der Bundespolizeiinspektion Frankfurt am Main im Einsatz. Das Fahrzeug trägt noch die alte Lackierung des »Bundesgrenzschutzes« in Schwarzgrün, jedoch bereits das neue amtliche Kennzeichen der Bundespolizei.

Mercedes-Benz Vario 818 D – Feuerlösch-Kfz. 8/15 + 500 P der Bundespolizei. Eingesetzt wird dieses Fahrzeug bei der Fliegerstaffel der Bundespolizei.

Unimog U 2450 L – Flugfeld-Löschfahrzeug der Bundespolizei. Auch dieses minzgrüne Fahrzeug wird bei den Fliegerstaffeln der Bundespolizei eingesetzt.

Diese Heckansicht zeigt, bei den geöffneten Geräteräumen, die feuerwehrtechnische Ausrüstung des Fahrzeugs. Zum Einsatz kommen diese Fahrzeuge, außer auf den Heimatbasen der Hubschrauber, auch am Einsatzort – zur Sicherung bei Außenlandungen.

Blick auf den Aufbau des Feuerlösch-Kfz. der Bundespolizei. Ungewöhnlich für die Bundespolizei ist die Lackierung in Rot.

Mercedes-Benz 917 – Funkkraftwagen (UKW) mit Stromaggregat-Anhänger. Eingesetzt wird dieses noch in der alten dunkelgrünen Farbe des »BGS« lackierte Fahrzeug bei der Bundespolizei.

Mercedes-Benz 2628 – Wasserwerfer (WaWe 9) der Bundespolizei. Eingesetzt werden diese Fahrzeuge auch auf Anfrage zur Unterstützung der Länderpolizeien bei größeren Lagen, wie z.B. Demonstrationen.

Wasserfahrzeuge

BP 21 »Bredstedt« der Bundespolizei. Für die Aufgabenwahrnehmung auf See stehen
dem Bundespolizeiamt See sechs Schiffe zur Verfügung (BP 21 bis BP 26).
Das Einsatzgebiet umfasst das gesamte deutsche Küstenmeer in Nord- und Ostsee.
Zusätzlich werden zur Überwachung des Seegebietes seeflugtaugliche
Hubschrauber der Bundespolizei-Fliegerstaffel Nord eingesetzt.
Die 1989 von der Elsflether Werft AG erbaute »BP 21« erreicht eine Höchstgeschwindigkeit
von 21 Knoten (kn), das entspricht etwa 39 km/h.
Das Schiff ist 65,40 m lang, 9,20 m breit und hat einen Tiefgang von 3,60 m.

BP 24 »Bad Bramstedt« und BP 25 »Bayreuth«.
Zusammen mit ihrem baugleichen Schwesterschiff BP 26 »Eschwege« gehören
die BP 24 und BP 25 zur neuesten Generation von drei hochseetauglichen Schiffen
mit modernster Navigations- und Überwachungstechnik.

BP 26 »Eschwege«. Die Schiffsdaten werden wie folgt angegeben:
Baujahr: 2002, Bauwerft: Abeking & Rasmussen in Lemwerder, Maschinenanlage:
MTU 16 V 1163 TB 73 mit 5200 kW (7070 PS) Dauerleistung, Höchstgeschwindigkeit: 21,5 kn (ca. 40 km/h),
Länge: 65,90 m, Breite: 10,60 m, Tiefgang: 3,20 m.

Luftfahrzeuge

Der Eurocopter »EC 155« wird bei der Bundespolizei seit 2001 eingesetzt. Es handelt sich um einen leichten Transporthubschrauber und er ist der derzeit modernste Hubschrauber der Bundespolizei. Im Flug wird das Einziehfahrwerk (Bug Doppelbereifung, Hauptfahrwerk Einfachbereifung) hydraulisch eingezogen.

Technische Daten:
Hersteller: Eurocopter France, Triebwerk: zwei Turboméca Arriel 2C1, Startleistung: je 635 kW / 863 PS Dauerleistung: je 597 kW / 812 PS, Flugleistung: Höchstgeschwindigkeit: 324 km/h / Reisegeschwindigkeit: 268 km/h, Tankinhalt: 1250 l, maximale Flugzeit 4:20 Stunden, Reichweite: 830 km, Maße: Länge über alles: 14,30 m, Breite über alles: 3,48 m, Rumpflänge: 12,71 m, Höhe 4,35 m, Kabinenlänge: 2,55 m inkl. Cockpit, Kabinenbreite: 2,05 m, Kabinenhöhe: 1,34 m, Rotordurchmesser: 12,60 m, Masse: Leergewicht 2530 kg, maximales Abfluggewicht: 4800 kg, maximale Zuladung: 1500 kg, Sitzplätze (einschl. Besatzung): 15.

Hier ist ein SA 330 J »Puma« der Bundespolizei
in Portugal, zur Unterstützung der örtlichen
Behörden bei der Bekämpfung der
verheerenden Waldbrände,
als Löschhubschrauber im Einsatz.

Der »Bell 212« wird bei der Bundespolizei zur Luftrettung, zur Ausbildung des fliegenden Personals und als Transporthubschrauber für die bekannte Spezialeinheit »GSG 9« genutzt, er bietet Platz für bis zu 15 Personen (einschließlich Besatzung). Das Triebwerk (Pratt & Whitney of Canada PT6T-3B Turbo Twin Pac) leistet 1342 kW und verhilft dem Helikopter zu einer Reisegeschwindigkeit von 200 km/h denen Maschinen werden offensichtlich nicht mehr auf die neue Farbgebung in Blau umlackiert.

Aufgrund des großen Erfolgs des Pumas entstand der AS 332 »Super Puma«. Die Turbinen benötigen keine Aufwärmphase, somit ist der Hubschrauber sofort einsatzbereit. Aufgrund dieser Leistungen konnte er an den Erfolg seines Vorgängers anknüpfen, was sich weltweit an Verkaufzahlen von über 580 Maschinen ersehen lässt. Auch die Bundespolizei setzt drei Super Puma ein, die überwiegend für den VIP-Transport Verwendung finden. Die Hubschrauber sind voll nachtflugtauglich und mit GPS zur Navigation ausgestattet. Diese Maschine trägt bereits die neue blaue Lackierung. Technische Daten: Hersteller: Eurocopter, France (vormals Aerospatiale), Typ: AS 332 L1 Super Puma, Einsatzzeit: ab 1978 bis heute, Triebwerk: zwei Turboméca Makila 1A Turbinen, Startleistung: je 1381 kW /1877 PS, Dauerleistung: je 1168 kW / 1588 PS, Flugleistung: Höchstgeschwindigkeit: 310 km/h, Reisegeschwindigkeit: 275 km/h, Tankinhalt: 2367 l, Reichweite: 1230 km, maximale Flugzeit: 4:30 Stunden, Maße: Länge über alles: 18,70 m, Rumpflänge: 16,29 m, Höhe: 4,92 m, Breite (Rotor gefaltet): 3,36 m, Rotordurchmesser: 15,08 m, Gewicht: Leergewicht 4460 kg, maximales Abfluggewicht: 8600 kg, maximale Zuladung: 3428 kg, Sitzplätze (einschl. Besatzung): 26.

Der SA 330 »Puma« wurde ursprünglich 1969 als mittelschwerer Transporthubschrauber für das französische Heer entwickelt. 1976 kam u.a. die hier abgebildete, verbesserte militärische Version SA 330 J auf den Markt, die seither auch vom Bundesgrenzschutz, der heutigen Bundespolizei, verwendet wird. Hier ist ein solcher seeflugtauglicher Hubschrauber der Bundespolizei-Fliegerstaffel Nord zur Unterstützung des »Bundespolizeiamts See« im Einsatz. Gut erkennbar sind die grauen Behelfsschwimmer, die eine Notwasserung ermöglichen sollen. Technische Daten: Hersteller: Eurocopter, France (vormals Aerospatiale), Typ: SA 330 J Puma, Einsatzzeit: ab 1976 bis heute, Triebwerk: zwei Turboméca IV C Turbinen, Startleistung: je 1115 kW /1516 PS, Dauerleistung: je 960 kW / 1305 PS, Flugleistung: Höchstgeschwindigkeit: 310 km/h, Reisegeschwindigkeit: 230 km/h; Tankinhalt: 1565 l (mit Zusatztanks: 2265 l), maximale Flugzeit: 2:15 (3:15) Stunden, Reichweite: 460 km (mit Zusatztanks: 710 km), Maße: Länge über alles: 18,15 m, Höhe: 5,14 m, Rotordurchmesser: 15,00 m, Gewicht: Leergewicht 3615 kg, maximales Abfluggewicht: 7400 kg, maximale Zuladung: 3000 kg, Sitzplätze (einschl. Besatzung): 21.

Die »Alouette II«, zu Deutsch »Lerche«, ist eine der erfolgreichsten europäischen Hubschrauberkonstruktionen.
So war die »Alouette II« beispielsweise der erste Serienhubschrauber mit Turbinenantrieb. Auch heute, nach vielen Jahrzehnten, werden noch zahlreiche Maschinen bei der Bundespolizei eingesetzt.
Technische Daten:
Hersteller: Aerospatiale (Eurocopter Frankreich), Typ: SA 318 »Alouette II Astazou«, Einsatzzeit: 1964 bis heute,
Triebwerk: Einwellenturbine mit 390 kW / 530 PS Startleistung und 353 kW / 480 PS Dauerleistung.
Flugleistung: Höchstgeschwindigkeit: 205 km/h, Reisegeschwindigkeit: 167 km/h, Reichweite: 610 km / 3:40 h, maximales Abfluggewicht: 1650 kg, maximale Zuladung: 610 kg, Spritverbrauch (Kerosin): 140 l/h,
Sitzplätze (einschl. Besatzung): vier Personen.

Das Bundeskriminalamt und seine Aufgaben

Neben vielseitigen anderen Aufgaben, auf die ich hier nicht näher eingehe, ist dem Bundeskriminalamt die gesetzliche Aufgabe zugewiesen, den Schutz von Mitgliedern der Verfassungsorgane des Bundes zu gewährleisten. Dieser Auftrag, der von der Abteilung »SG« mit Sitz in Berlin (Sicherungsgruppe Berlin) wahrgenommen wird, umfasst sowohl den Personenschutz für den Bundespräsidenten, die Mitglieder des Bundestages und des Bundesrates, für das Bundesverfassungsgericht und die Bundesregierung sowie – in besonderen Fällen – für ihre ausländischen Gäste. Der Personenschutz für diesen Kreis bezieht sich auch auf den Innenschutz ihrer Dienst- und Wohngebäude sowie auf das Umfeld bei dienstlichen und privaten Reisen. Nicht selten wird die Tätigkeit auch auf das familiäre Umfeld der Schutzpersonen ausgedehnt.

Das Aufgabenspektrum ist breit gefächert und reicht u.a. vom nur anlassbezogenen bis hin zum ständigen Personenschutz. Auch gehört hierzu die Feststellung und Überwachung von Gefährdungsbrennpunkten, die Wegstrecken- und Luftaufklärung oder die Beratung bei der technischen Sicherung von Wohn- oder Dienstgebäuden.

Mercedes-Benz E 280 (W210). Derartige Fahrzeuge werden durch das Bundeskriminalamt (BKA) u.a. beim Personenschutz von der Abteilung »Sicherungsgruppe« (SG) mit Sitz in Berlin eingesetzt. Bei Fahrzeugen dieser Klasse handelt es sich vorwiegend um solche, mit denen die Begleitkommandos unterwegs sind.

Die Fahrzeuge des Bundeskriminalamtes

Die »Sicherungsgruppe« (SG) und deren Fahrzeuge sind wohl der sichtbarste Teil des Fahrzeugparks des Bundeskriminalamtes. Der Einsatz moderner technischer Mittel, wie etwa sondergeschützter Kraftfahrzeuge, waffentechnischer Ausrüstung oder einer speziellen Kommunikations- und Nachrichtentechnik, sind für die Aufgabenbewältigung unverzichtbar. Speziell ausgesuchte und trainierte Kriminalbeamtinnen und -beamte, mit spezieller Ausrüstung und Sonderfahrzeugen, sorgen dafür, dass Leib und Leben der Schutzpersonen nicht gefährdet sind. Bei der Durchführung der erforderlichen Maßnahmen arbeitet die Sicherungsgruppe eng mit den Polizeibehörden der Länder, der Bundespolizei, dem Polizei- und Sicherungsdienst des Deutschen Bundestages sowie ausländischen Sicherheitsbehörden zusammen.

Mercedes-Benz S-Klasse (W140). Fahrzeuge der Oberklasse setzt das BKA, Abteilung SG, u.a. im Personenschutz ein. Diese Wagen werden meist zum Transport der Schutzperson sowie einiger Begleitbeamter verwendet. Die Fahrzeuge sind immer neutral lackiert, verfügen u.a. aber über eine verdeckt eingebaute Sondersignalanlage. Bei Bedarf werden die blauen Rundumlichter (Blitzlichter) aufgesetzt. Zum Einsatz kommen, neben den beiden abgebildeten Fahrzeugen aus dem Hause Daimler-Chrysler, natürlich Fahrzeuge aller namhafter Hersteller.

Die Zollverwaltung und ihre Aufgaben

Die Zollverwaltung ist dem Bundesfinanzministerium unterstellt. Für die Öffentlichkeit erkennbar, tritt der Zoll in verschiedenen Bereichen auf, auch im Landesinneren und nicht nur an den Grenzübergangsstellen oder auf Flug- und Seehäfen. Identifizierbar sind die weißen Fahrzeuge an ihren grünen Bauchbinden, ihren Sondersignalanlagen und der weit sichtbaren Aufschrift »ZOLL«.

Grenzaufsichtsdienst

Die ursprüngliche Aufgabe des Zolls ist die Kontrolle des Waren- und Personenverkehrs an den Auslandsgrenzen (Grenzübergänge zu Land und an den internationalen Flug- und Seehäfen). Dabei werden auch die Gebiete zwischen den einzelnen Grenzübergängen überwacht. Speziell für die Sicherung dieser Grenzgebiete wurde der Grenzaufsichtsdienst eingerichtet. Er ist sowohl für die Grenzgebiete zu Land (grüne Grenze) als auch zu Wasser wie beispielsweise auf der Nordsee zuständig. Der Grenzsaufsichtsdienst ist in Kommissariate unterteilt, die dem jeweils örtlich zuständigen Hauptzollamt unterstellt sind.

Zollkreuzer »Oldenburg«. Dieser ehemalige Zollkreuzer liegt nun, als Museumsschiff, in Hamburg vor dem Deutschen Zollmuseum und kann dort besichtigt werden.

Mobile Kontrollgruppen

Seit zum 01. Januar 1993 der Binnenmarkt in der Europäischen Gemeinschaft verwirklicht und die Warenkontrollen des Zolls an den Grenzen zwischen den Mitgliedstaaten abgeschafft wurden, sind diese Grenzen weder für den gewerblichen Warenverkehr noch für den privaten Reiseverkehr ein Hindernis.

Der Wegfall der Kontrollen an den Binnengrenzen der Mitgliedstaaten durfte aber nicht zu Defiziten bei der Überwachung der zollrechtlichen Vorschriften, wie z.B. der Ein- und Ausfuhr von Waren, der Vorschriften des Artenschutzes und anderer Verbote und Beschränkungen führen. Es bestand daher weiterhin das Bedürfnis für eine - wenn auch eingeschränkte – Zollüberwachung sowohl des Warenverkehrs, der in die EU hineinführt, als auch desjenigen innerhalb der Gemeinschaft selber.

Seither kann die Zollverwaltung Kontrollen nicht nur an den Außengrenzen der EU, sondern unter bestimmten Voraussetzungen auch im gesamten Bundesgebiet durchführen. Diese Kontrollrechte im Landesinneren übt der Zoll durch die »Mobilen Kontrollgruppen« aus.

Finanzkontrolle Schwarzarbeit

Seit 1998 verfügen die Beamten der »Finanzkontrolle Schwarzarbeit« (FKS) über Polizeibefugnisse und sind Ermittlungspersonen der Staatsanwaltschaft. Damit sind sie berechtigt, Festnahmen, Durchsuchungen und Beschlagnahmen durchzuführen. Diese Befugnisse sind notwendig, denn illegale Beschäftigung und Schwarzarbeit sind keine Kavaliersdelikte, sondern schwere Verstöße gegen die Grundlagen des Sozialstaates.

Zollkriminalamt

Der Zollfahndungsdienst ist die »Kriminalpolizei der Zollverwaltung«. Die Behörden des Zollfahndungsdienstes sind das Zollkriminalamt und die Zollfahndungsämter. Ihre Beamten haben, soweit sie Ermittlungen durchführen, dieselben Rechte und Pflichten wie die Behörden und Beamten des Polizeidienstes nach den Vorschriften der Strafprozessordnung. Die Zollfahndungsbeamten sind Ermittlungspersonen der Staatsanwaltschaft. Das Zollkriminalamt mit Sitz in Köln ist die Zentralstelle für den Zollfahndungsdienst. Die Hauptaufgabe dieser Dienststelle besteht in der Verfolgung und Verhütung der Zollkriminalität, beispielsweise Waffen-, Drogen- und Zigarettenschmuggel. Dazu werden im Zollkriminalamt unter anderem Informationen für den Zollfahndungsdienst gesammelt und ausgewertet, ebenso die Ermittlungen der einzelnen Zollfahndungsämter koordiniert. In Fällen von besonderer Bedeutung kann das Zollkriminalamt Ermittlungen auch selbst durchführen.

Auf internationaler Ebene fungiert das Zollkriminalamt, beispielsweise im Bereich der Amts- und Rechtshilfe, als Zentralstelle der Zollverwaltung, sofern das Bundesministerium der Finanzen diese Aufgabe nicht selbst wahrnimmt. Es ist auch Zentralstelle für den Informationsaustausch bei der Bekämpfung des Rauschgiftschmuggels durch die Zollverwaltungen in Europa im Landstraßen-, Luftfracht- und Seeverkehr. Um die grenzüberschreitende Zusammenarbeit der Zollfahndungsbehörden zu unterstützen, hat das Zollkriminalamt Verbindungsbeamte in mehrere europäische Länder entsandt.

Einsatzfahrzeuge des Zolls und ihre Farbgebung

Die Fahrzeuge des Vollzugsdienstes des Zolls sind bereits seit einigen Jahren reinweiß lackiert (RAL 9001 oder RAL 9010) und mit einem minzgrünen Streifen (RAL 6029) in der Fahrzeugmitte versehen, ähnlich den Polizeifahrzeugen früherer Jahre. Lediglich die Aufschrift »Zoll« unterscheidet sie äußerlich von diesen Autos.

VW T 5 – Auch hier handelt es sich um ein Einsatzfahrzeug des Zolls, Abteilung »Finanzkontrolle Schwarzarbeit« (FKS) in Darmstadt. Die VW-Busse sind besonders als Bearbeitungs- bzw. Bürofahrzeuge geeignet, da sie die Unterbringung diverser Unterlagen und technischer Hilfsmittel gestatten.

VW Golf IV Variant – Einsatzfahrzeug des Zolls, Abteilung »Finanzkontrolle Schwarzarbeit« (FKS) in Darmstadt. Die Fahrzeuge der »FKS« sind alle mit dem Schriftzug »www.zoll-stoppt-schwarzarbeit.de« gekennzeichnet.

Der Opel Astra B Caravan kam ebenfalls, neben dem weiter verbreiteten VW Golf, als Einsatzfahrzeug der »Mobilen Kontrollgruppen« zum Einsatz.

VW Golf IV Variant – Einsatzfahrzeug des Zolls. Hier handelt es sich um ein Auto der »Mobilen Kontrollgruppe« (MKG) Darmstadt.

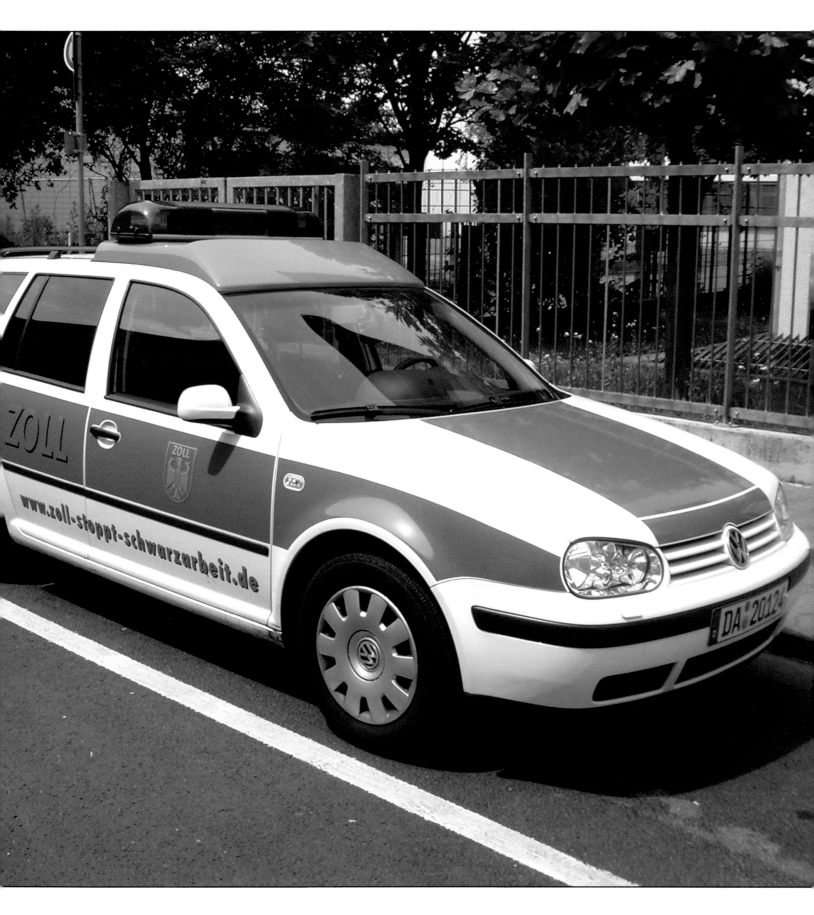

Opel Vectra C (2) Caravan 1,9 CDTI – Einsatzfahrzeug des Zolls. Intern wird der Wagen als »Opel Vectra GAD/ MKG« bezeichnet. Der Opel Vectra C Caravan löst nun langsam die seit einigen Jahren bekannten Kombis (VW Golf Variant IV und Opel Astra B Caravan) ab. Das hier gezeigte Fahrzeug ist beim Hauptzollamt Dresden stationiert.
Das äußere Erscheinungsbild wurde beibehalten und so ist der Vectra weiß lackiert und mit der von der Polizei bekannten grünen »Bauchbinde«, sowie erstmals den weißsilbernen Reflexstreifen versehen. Der neue Vectra ist sehr flexibel einsetzbar: Für Kontrollteams und / oder Hundeführer gleichermaßen. Die Hundebox ist genauso an Bord wie ein Platz sparendes Kontrollstellenpaket. So wird das Fahrzeug alsbald beim »Grenzaufsichtsdienst« (GAD) genauso zu finden sein wie bei den MKG.

VW T 4 mit Anhänger zum Transport von Diensthunden. Auch beim Zoll kommen Diensthunde zum Einsatz, u.a. als Schutz- und Fährtenhunde wie auch als Spürhunde zur Suche nach Rauschgift oder Sprengstoff.

Heckansicht desselben Fahrzeugs. Die Erkennbarkeit dieses weißen Fahrzeugs mit seiner grünen »Bauchbinde« dürfte objektiv besser sein als bei vergleichbaren Wagen der Polizei in silberner Lackierung.

Die geöffnete Heckklappe gibt den Blick auf die Ausrüstung dieses neuen Einsatzfahrzeugs frei.

Heckansicht der gleichen Fahrzeugkombination.

VW T 4 des Grenzaufsichtsdienstes
mit Wärmebildkamera zur
Überwachung der »Grünen Grenze«
im Falle illegal einreisender Personen bzw.
Zollstraftäter (Schmuggler / Schleuser).
Hiermit sind die Beamten in der Lage,
den Grenzverlauf bei völliger Dunkelheit
zu kontrollieren und bei seiner unerlaubten
Überschreitung gegebenenfalls
zeitnah zu reagieren.

VW T 4, noch in einer der älteren Farbvarianten. Solche Transporter kommen u.a. als Fahrzeuge für Diensthundeführer zur Verwendung.

VW T 5 des Zolls – Einsatzfahrzeug des Zolls – Abteilung »Mobile Kontrollgruppe« (MKG). Die VW-Busse der neuesten Generation lösen nach und nach die Vorgängermodelle T 4 ab.

VW Golf IV Variant und VW T 5 an einer Kontrollstelle auf einem Autobahnparkplatz.
Durch die Besatzung des VW Golf können z.B. Fahrzeuge aus dem fließenden Verkehr herausgezogen und zur Kontrollstelle
auf einem geeigneten Parkplatz gelotst werden, wo dann weitere Beamte, z.B. mit dem VW T 5 eingesetzt sind.

Zollboot »Kuhwerder« im Hafen der Hansestadt Hamburg.

Zollboot »Rheiderland«, stationiert auf der Insel Usedom.

Andere Bundesoberbehörden mit Kontroll- und Untersuchungsaufgaben

Über jeweils ganz speziell ausgestattete Einsatzfahrzeuge verfügen zwei Behörden, die beide im weitesten Sinne mit Verkehr und Verkehrssicherheit zu tun haben: Die eine Behörde beschäftigt sich mit dem Güterverkehr und den Mautkontrollen auf der Straße, die andere untersucht die Unfallfolgen des Verkehrs in der Luft: BAG und BFU.

Die Heckansicht dieses Fahrzeugs des »BAG« erlaubt die Sicht auf den Anhaltesignalgeber und die blauen Rundumleuchten. Unter der orangefarbenen Haube verbirgt sich keine weitere Rundumleuchte, sondern die komplexe Technik, die im Vorbeifahren an den zu überprüfenden Fahrzeugen deren Mautdaten erfasst.

VW T 5 in neuer, silberner Farbgebung. Die neue Generation der Mautkontrollfahrzeuge des BAG ist silbern lackiert.

Das Bundesamt für Güterverkehr und seine Aufgaben

Am 1. Januar 1994 wurde die »Bundesanstalt für den Güterfernverkehr« per Gesetz in das »Bundesamt für Güterverkehr« (BAG) umgewandelt. Es ist als selbständige Bundesoberbehörde dem Bundesministerium für Verkehr, Bau- und Wohnungswesen unterstellt. Infolge des 2002 in Kraft getretenen Autobahnmautgesetzes haben sich die Aufgaben und organisatorischen Strukturen geändert.

Bei der Kontrolltätigkeit des Bundesamtes stehen vor allem Verkehrssicherheitsaspekte, Überwachung der Sozialvorschriften und Umweltschutzgesichtspunkte im Vordergrund. Aus diesem Grund bestimmen die gesetzlichen Vorschriften aus den Bereichen des Gefahrgut- und Abfallrechts, der Sozialvorschriften (einschließlich der illegalen Beschäftigung) sowie der Anordnungen über technische Sicherheit der Fahrzeuge den Inhalt dieser Straßenkontrollen.

Hier ist bei der Heckansicht der Anhaltesignalgeber gut zu erkennen, mit dem die zu überprüfenden Fahrzeuge aus dem fließenden Verkehr zum Folgen auf den nächsten Parkplatz aufgefordert werden.

Das Bundesamt gliedert sich in eine Zentrale mit Sitz in Köln sowie in mehrere Außenstellen. In den Außenstellen werden die Aufgaben durchgeführt, die eine engere Zusammenarbeit mit den Verkehrsbehörden der Länder, Kontakte zu den Unternehmen, Verbänden und anderen Stellen, sowie Prüfungen und Kontrollen vor Ort erfordern.

Kompetenzerweiterung für das BAG – Anhalterecht für Omnibusse

Zur Überwachung der Rechtsvorschriften über die Beschäftigung und die Tätigkeiten des Fahrpersonals von Kraftfahrzeugen ist der Kontrolldienst des BAG, neben den ursprünglich übertragenen Kontrollaufgaben im gewerblichen Güterverkehr, auch ermächtigt, Kraftomnibusse anzuhalten und dessen Fahrpersonal zu überprüfen. Bis auf Bayern gilt dies bundesweit.

Fahrzeuge des Bundesamtes für Güterverkehr

Straßenkontrollfahrzeuge

Dem Straßenkontrolldienst des Bundesamtes stehen etwa 140 speziell ausgerüstete Fahrzeuge zur Verfügung. Sie dienen nicht nur als Transportmittel für die umfangreiche Kontrollausstattung, sondern die Wagen sind mit zwei getrennten Arbeitsplätzen im Inneren auch Büroarbeitsplatz für die Kontrolleure. Zu dieser Büroausstattung der Fahrzeuge gehören selbstverständlich ein Notebook, ein Kopierer und ein Drucker.

Zur weiteren technischen Grundausstattung eines jeden Kontrollfahrzeugs zählen unter anderem ein Achslastwiegegerät, ein Abgasmessgerät, ein Schallpegelmessgerät sowie ein Fahrzeughöhenmesser und ein Bandmaß zur Überprüfung der Fahrzeuglängen und -breiten. Warntafeln, Warnkegel, tragbare Sicherheitsleuchten und eine Gefahrgutschutzbekleidung runden das Fahrzeugzubehör ab.

Äußerlich sichtbar sind blaue Rundumleuchten

Mercedes-Benz Vito.
Fahrzeuge dieser Art werden zur Mautkontrolle auf den Autobahnen und der mautpflichtigen Bundesstraßen in Deutschland durch das »Bundesamt für Güterverkehr« (BAG) eingesetzt.

Mautkontrollfahrzeuge

Die Lkw-Mautkontrolle und die Ahndung von Verstößen gegen die Mautpflicht liegen in der Zuständigkeit des »BAG«.

Unter anderem überprüft das »BAG« mit dem Einsatz von etwa 300 Kontrollfahrzeugen bundesweit die Einhaltung der Mautpflicht.

Diese Fahrzeuge sind mit modernster Technik ausgerüstet, die es dem Kontrolleur z.B. auch während der Vorbeifahrt an einem mautpflichtigen Fahrzeug gestattet, zu überprüfen, ob dieses ordnungsgemäß in das Mautsystem eingebucht ist.

Bei eindeutig festgestellter Nichtentrichtung der Maut wird die Gebühr für die gefahrene Strecke nachträglich erhoben und es kann ein Bußgeld verhängt werden.

Sollte die tatsächliche Wegstrecke nicht festgestellt werden können, so findet eine Nacherhebung der Maut für eine Wegstrecke von 500 Kilometern statt. Bei der Kontrolle werden die erforderlichen Eingabedaten, wie Kfz-Kennzeichen oder Gebührenklasse erhoben. Dann wird

mit Anhaltesignalgeber auf dem Fahrzeugdach, wie sie auch von Polizei- und Zollfahrzeugen bekannt sind.

sofort ein Bußgeldverfahren durch das »BAG« eingeleitet.

Erscheinungsbild der Dienstfahrzeuge des Bundesamtes für Güterverkehr

Die Dienstwagen des Bundesamts für Güterverkehr (BAG) waren schon immer weiß lackiert. Hier setzte sich bereits vor Jahren durch, diese in der Fahrzeugmitte mit einem schmalen blauen Streifen zu versehen. Immer mit der Aufschrift »BAG« versehen, zunächst jedoch ohne, später mit gelbem Rundumlicht gekennzeichnet, wurden diese Kontrollfahrzeuge schließlich auch mit blauen Rundumleuchten sowie Anhaltesignalgebern ausgerüstet.

Die neuesten Fahrzeuge der Mautkontrolle wurden nun ebenfalls in silberner Grundfarbe beschafft und das nächste Los der Kontrollstellenfahrzeuge (intern als Bürofahrzeuge geführt) wird farblich angepasst.

Mercedes-Benz Sprinter – Kontrollstellenfahrzeug (intern als Bürofahrzeug bezeichnet) des BAG.
Diese Fahrzeuge kommen bei den Standkontrollen des BAG zum Einsatz. Mitgeführt wird umfangreiche Ausrüstung, die die intensive Überprüfung von Lkw, Bussen und dem Fahrpersonal an Ort und Stelle ermöglicht.

Die Bundesstelle für Flugunfalluntersuchung (BFU) und ihre Aufgaben

Die im September 1998 als eigenständige, dem Bundesministerium für Verkehr, Bau und Stadtentwicklung unmittelbar nachgeordnete »Bundesstelle für Flugunfalluntersuchung« (BFU), hat als Bundesoberbehörde ihren Ursprung im Luftfahrt-Bundesamt in Braunschweig.

Die Aufgaben der Bundesstelle für Flugunfalluntersuchung ergeben sich aus dem »Gesetz über die Untersuchung von Unfällen und Störungen bei dem Betrieb von zivilen Luftfahrzeugen« (FLUUG) vom 01. September 1998. Das Gesetz sieht eine völlig eigenständige Überprüfung von Flugunfällen und schweren Störungen, insbesondere ohne eine Einflussnahme seitens Dritter, durch die Bundesstelle vor. Die BFU ist deshalb rund um die Uhr erreichbar.

Wann immer in Deutschland Flugunfälle oder schwere Störungen in der zivilen Luftfahrt passieren, auch wenn deutsche Luftfahrzeuge im Ausland betroffen sind, wird die BFU hiervon in Kenntnis gesetzt. Unverzüglich wird dann entschieden, ob eine Untersuchung vor Ort eingeleitet werden muss. Hierzu stehen flächendeckend Gutachter zur Verfügung, welche die ersten Maßnahmen treffen können, bis das Team der »BFU« am Unfallort eingetroffen ist. Der Untersuchungsführer und sein Team begeben sich, falls dementsprechend entschieden wurde, anschließend an den Unfallort. Hierzu können zwei eigene Fahrzeuge eingesetzt werden, die auch mit Sondersignaleinrichtungen ausgerüstet sind. Allerdings stehen diesen Fahrzeugen keine Sonderrechte nach § 35 StVO, sondern nur Wegerechte nach § 38 StVO zu. Sind die zurückzulegenden Entfernungen zu groß, so kann das Team der »BFU« auch auf Hubschrauber der Bundespolizei oder das Flugzeug des Luftfahrtbundesamtes (samt Crew) zurückgreifen.

Unmittelbar nach Abschluss der Brandbekämpfungs- und Rettungsmaßnahmen muss die Unfallstelle gesperrt werden und die Spurensicherung beginnen. Außer Staatsanwaltschaft und Polizei haben nur noch die »BFU-Mitarbeiter« Zutritt.

Die Auswertung des jeweils untersuchten Vorkommnisses sowie die daraus resultierenden Schlussfolgerungen und Sicherheitsempfehlungen sollen nicht der Klärung der Schuld- bzw. Haftungsfrage dienen. Vielmehr hat die technische Untersuchung einzig das Ziel, Erkenntnisse zu gewinnen, mit denen künftige Unfälle und Störungen verhütet werden können.

Opel Omega B 2,5 Caravan – Einsatzfahrzeug der Bundesstelle für Flugunfalluntersuchung (BFU). Das 1998 gebaute Fahrzeug verfügt über einen Motor mit 125 kW / 170 PS.

VW T 4 TDI – Einsatzfahrzeug der BFU. Der 2,5 l-Dieselmotor des 1999 in Dienst gestellten Fahrzeugsleistet 110 kW /150 PS.

VW T 5 in weißer Grundfarbe, der so für den Einsatz innerhalb Deutschlands vorgesehen ist.

Militärpolizei

Feldjäger – Militärpolizei der deutschen Bundeswehr und ihre Aufgaben

Die Feldjägerdienstkommandos, die über das gesamte Bundesgebiet verteilt und als Teil der Bundeswehr dem Bundesministerium der Verteidigung unterstellt sind, leisten ihren Dienst rund um die Uhr für alle Teilstreitkräfte der Bundeswehr und für die Bundeswehrverwaltung bei den folgenden Aufgaben:

Der Militärische Ordnungsdienst

Der Militärische Ordnungsdienst beinhaltet unter anderem den Feldjägerstreifendienst, den Einsatz bei militärischen Großveranstaltungen und bei sonstigen Ereignissen mit militärischer Beteiligung, Kontrollen in militärischen Liegenschaften, die Unterstützung der Wehrdienstgerichte und sonstiger Justizorgane, das Mitwirken beim Sammeln und Rückführen von Versprengten und von in Gewahrsam genommenen Personen, außerdem das Mithelfen beim Sammeln und Transportieren von Kriegsgefangenen im Spannungs- und Verteidigungsfall.

Der Militärische Verkehrsdienst

Einer der übertragenen Aufträge der Feldjäger ist die Überwachung und Regelung des militärischen Straßenverkehrs. Hierunter fallen beispielsweise die Aufnahme von Verkehrsunfällen mit Beteiligung von Bundeswehrfahrzeugen, militärische Verkehrskontrollen, militärische Verkehrsregelung sowie die Begleitung und gegebenenfalls Kontrolle von militärischen Gefahrgut-, Schwer- und Großraumtransporten. Die Feldjäger arbeiten dabei eng mit der jeweils örtlich zuständigen Landespolizei zusammen. Weiterhin ist natürlich die Verkehrsregelung im Spannungs- und Verteidigungsfall, soweit dies für die Erfüllung des Verteidigungsauftrages erforderlich ist, als Aufgabe zu nennen, wobei dies dann auch den Zivilverkehr beträfe.

Die Wahrnehmung von Sicherheitsaufgaben

Feldjäger werden auch bei der Wahrnehmung von Sicherheitsaufgaben eingesetzt, um Straftaten gegen die Bundeswehr zu verhindern und rechtswidrige Störungen der dienstlichen Tätigkeit der Bundeswehr zu beseitigen. Darüber hinaus können sie mit dem Schutz von Einrichtungen verbündeter Streitkräfte beauftragt werden, wie zuletzt während des Golfkriegs geschehen, als US-Militäreinrichtungen von der Bundeswehr gesichert wurden. Das Betätigungsfeld umfasst hier unter anderem den Personen- und Begleitschutz von gefährdeten Angehörigen der Bundeswehr, den Eskorten- und Lotsendienst, die Überwachung und den Schutz von Liegenschaften der Bundeswehr, die Absicherung von Besprechungen, Ausstellungen und Vorführungen.

Erhebungen und Ermittlungen

Eine weitere Aufgabe der Feldjägertruppe sind Erhebungen und Ermittlungen. Hierzu gehören die Aufnahme von folgenschweren Unfällen, an denen Bundeswehrangehörige beteiligt sind, die Feststellung dienstlich interessanter Sachverhalte, die Mitwirkung bei der Aufklärung von Dienstvergehen auf Ersuchen des zuständigen Disziplinarvorgesetzten sowie die Suche nach unerlaubt abwesenden Soldaten. Die Feldjäger setzen dabei gegebenenfalls auch speziell ausgebildete Diensthunde und Diensthundeführer ein. Die Diensthunde, die zunächst zu Schutzhunden und anschließend zu Spezialspürhunden ausgebildet wurden, sind auch bei der Suche nach Sprengstoff und Betäubungsmitteln von großem Wert.

Feldjäger im internationalen Einsatz

Bei Auslandseinsätzen überwachen Feldjäger nicht nur das Verhalten deutscher Soldaten in den Einsatzgebieten der Bundeswehr. Sie arbeiten auch eng mit der Militärpolizei anderer Staaten, mit lokalen Behörden und Organisationen mit Sicherheitsaufgaben und der örtlichen Polizei unter dem Dach der Vereinten Nationen zusammen.

Auch der Bereich der »Special Operations« fällt in ihre Zuständigkeit. In diesem Tätigkeitsgebiet arbeiten die Feldjäger an der Verfolgung und Aufklärung von Straftaten mit.

Um für solche speziellen Aufgaben gerüstet zu sein, werden Feldjäger in intensiven Lehrgängen bei der Bundes- und den Landespolizeien im Heimatland aus- und weitergebildet.

Zum täglichen Dienst gehören beim Auslandseinsatz auch Hausdurchsuchungen zwecks Auffinden von illegalen Waffen und Sprengmitteln, ebenso wie »Personen- und Begleitschutz« für gefährdete Personen.

Auf Befehl betreiben Feldjägerkräfte Kontrollpunkte und erkunden, überwachen und kennzeichnen Straßen und Räume oder finden im Konvoischutz Verwendung.

Im Einsatzgebiet nehmen sie Aufgaben ebenfalls originär wahr und unterstützen die Disziplinarvorgesetzten und die Rechtsberater-Stabsoffiziere.

Zusätzlich überwachen sie im Ausland die Einhaltung der Zollbestimmungen bei der Ein- und Ausreise von Soldaten der deutschen Kontingente.

Hierzu zählen u.a. die einschlägigen Bestimmungen des Artenschutzabkommens oder der Schutz einheimischer Kulturgüter.

Ferner führen die Feldjäger Kontrollen hinsichtlich des unerlaubten Besitzes, Führens und Handels mit Waffen und Munition durch. Dabei überprüfen sie auch deren Ein- oder Ausfuhrverbote sowie die Einhaltung der Bestimmungen des deutschen Betäubungsmittelgesetzes. Hierbei werden die Feldjäger quasi als Beamte des deutschen Zolls tätig.

Im Bereich der Flugsicherheit wird der »Ausflug-Check« im Einsatzland komplett durch die Feldjäger durchgeführt.

Neben den militärischen Grundaufgaben umfassen ihre Tätigkeiten im Auslandseinsatz lageabhängig unter Umständen auch vielfältige zivilpolizeiliche Arbeiten, wie etwa Mitwirkung bei der Verhinderung, Verfolgung und Aufklärung von Straftaten, Aufrechterhaltung von Sicherheit und Ordnung, Begleitung von Konvois oder die Durchführung von Zollkontrollen.

Feldjäger-Einsatzfahrzeuge

Die Fahrzeuge der Feldjäger sind seit jeher farblich denen der Truppe angepasst. Die aktuellen Fahrzeuge sind – genau wie die der Polizei – allerdings heute mit Folien in Oliv (offiziell: Bronzegrün – RAL 6031) beklebt und nicht mehr lackiert. Dabei werden die im Inland eingesetzten Fahrzeuge in der Grundfarbe Weiß ausgeliefert, die in der Mitte mit einer umlaufenden olivfarbenen »Bauchbinde« versehen sind, welche oben und unten durch die schon von den Polizeifahrzeugen bekannten reflektierenden Streifen begrenzt wird.

Lediglich die bei Auslandseinsätzen genutzten Fahrzeuge werden komplett mit Folie beklebt und mit der Aufschrift »Military Police« gekennzeichnet.

Das amtliche Kennzeichen der Bundeswehr-Fahrzeuge - wieso »Y«?

Da er ahnte, dass außer ihm selbst niemand von den heute noch Lebenden wusste, warum der Buchstabe »Y« das Kennzeichen der Bundeswehrkraftfahrzeuge wurde, wollte Brigadegeneral a.D. Kurt Vogel in seinem 93. Lebensjahr noch rechtzeitig darüber berichten.

Nach eigenem Bekunden war Brigadegeneral a.D. Kurt Vogel 1952 von der damaligen Dienststelle Blank gefragt worden, ob er bei der Vorbereitung der neuen deutschen Streitkräfte mitarbeiten wolle, insbesondere aufgrund seiner Erfahrungen im und nach dem Krieg auf dem Gebiet des Kraftfahrwesens.

So kam es, dass er auch an einer Tagung der Bundesminister in Flensburg teilnahm, bei der die neuen Kennzeichen der Kraftfahrzeuge festgelegt wurden, wie z.B. das »M« für München. So eben auch für die Bundesbahn, die Bundespost, den BGS und die neu aufzustellende Bundesarmee.

Als Vertreter der geplanten Streitkräfte sollte er einen Vorschlag machen. Wegen der voraussichtlich großen Zahl der zuzulassenden Fahrzeuge kam, wie bei Großstädten, nur ein einzelner Buchstabe in Betracht.

Auf seine Frage, welche Buchstaben noch frei wären, wurden X und Y genannt. Er entschied sich für Y. Den Namen »Bundeswehr« gab es für die neuen Streitkräfte nämlich zu diesem Zeitpunkt noch nicht. Als nach Aufstellung der Bundeswehr die Fahrzeuge mit dem »Y« zugelassen wurden, ist es dann bis heute bei diesem Kennzeichen geblieben.

BMW R 1150 RT. Diese Motorräder wurden für die von den Feldjägern zu stellenden Eskorten geleast. Die ersten Maschinen hat man, nach Leasing-Ende, bereits wieder zurückgegeben. Einige davon versehen nun beim Ordnungsamt in Frankfurt am Main ihren weiteren Dienst, nachdem die bronzegrünen Klebefolien durch blaue ersetzt worden sind.

Mercedes-Benz E 220 CDI der Feldjäger.
Auch die E-Klasse wird im Eskortendienst der
Feldjäger eingesetzt.

Heckansicht desselben Fahrzeugs. Der kleine weiße Aufkleber unten rechts an der Heckklappe zeigt deutlich, dass es sich bei diesem Fahrzeug um eines der »Leasinggeneration« handelt.

Mercedes-Benz Vito mit Allradantrieb, komplett in Oliv beklebt. In dieser Beklebungsvariante kommen die Fahrzeuge auch während Auslandseinsätzen zum Zuge.

Mercedes-Benz Vito in weißer Grundfarbe und olivfarbener »Bauchbinde«, ähnlich den Fahrzeugen der Länder- und der Bundespolizei.
Fahrzeuge in dieser Lackierungsversion sind für den Einsatz innerhalb der Bundesrepublik vorgesehen.

Mercedes-Benz G 270 CDI »Wolf SSA«. Hier begleitet dieses »Feldjägerfahrzeug mit Schutzausstattung«
einen Konvoi in Afghanistan während des »ISAF«-Einsatzes.

VW T 5 »4Motion«, komplett oliv »foliert«, der so für die stets steigenden Auslandseinsätze der
Bundeswehr – und damit auch für die der Feldjäger vorgesehen ist.

»Duro 3« - Feldjägerfahrzeug.
Die Firma Rheinmetall Landsysteme GmbH
hat, in Zusammenarbeit mit dem Schweizer
Unternehmen Mowag, den »DURO 3« mit
seinen drei Baukomponenten entwickelt:
Der Fahrerkabine, dem dreiachsigen
»6 x 6 Fahrgestell« und dem austauschbaren
Mehrzweckaufbau (MZA).
Die Aufbauten werden den Feldjägern in
folgenden drei Ausführungen zur Verfügung
stehen: als »MZA Wasserwerfer«, als »MZA
Gefangenentransport« und als »MZA Feldjägerdienst«. Der »MZA Feldjägerdienst« ist
zugleich der Flexibelste, denn er ist für vier
Aufgabenfelder aufrüstbar: Zugriff, Spurensicherung, Verkehrskontrolle und »CRC« (Crowd
and Riot Control / Überwachung und Kontrolle
von Menschenmengen / Krawallen).

US Military Police

Diese Fahrzeuge gehören zwar nicht zu den Feldjägern. Aufgrund der Änderung ihres Erscheinungsbildes soll hier aber ein Vertreter der neuen Fahrzeuggeneration vorgestellt werden. Auf den ersten Blick könnte es sich hierbei nämlich durchaus um ein Einsatzfahrzeug einer deutschen Polizeibehörde handeln.

Ford Mondeo – Streifenwagen der US-Militär-Polizei (Military Police »MP«) in Deutschland. Die »MP« ist dazu übergegangen, die in Deutschland eingesetzten Dienstfahrzeuge dem Erscheinungsbild der hiesigen Polizeifahrzeuge anzugleichen.
Die Fahrzeuge sind entsprechend in Silbermetallic lackiert und verfügen über die bereits bekannte »Bauchbinde« an den Seiten, deren Blauton jedoch dunkler ausgefallen ist als der der deutschen Polizeifahrzeuge.
Die weiß-silbernen Reflexstreifen sind ebenfalls vorhanden.

Heckansicht eines US-MP-Fahrzeugs. Die Beschriftung »Military Police« weist auf die Nutzung dieses Fahrzeugs hin. Weitergehende Hoheitszeichen oder Wappen fehlen gänzlich.
An den Fahrzeugen sind die neuen »Pseudo-Euro-Kennzeichen« der amerikanischen Streitkräfte in Deutschland angebracht, wobei die Buchstabenkombination »IF« sie als Dienstfahrzeuge der US-Militärverwaltung ausweist.

Quellenangabe

Für den Textteil dieses Buches wurden folgende Quellen benutzt:

Literatur:

Beyermann, Ernst: Die Einsatzfahrzeuge der Saarländischen Polizei 1948-2003. Verlagsgruppe k + b, Saarbrücken / Berlin / Frankfurt/M. / Heidelberg 2003

Beyermann, Ernst und Spörl, Udo Harry: Die Einsatzfahrzeuge der Bereitschaftspolizei Rheinland-Pfalz 1951-2004. Verlagsgruppe k + b, Saarbrücken / Berlin / Frankfurt/M. / Heidelberg 2004

Beyermann, Ernst: Die Einsatzfahrzeuge der Hessischen Bereitschaftspolizei 1951-2005. Verlagsgruppe k + b, Saarbrücken / Berlin / Frankfurt/M. / Heidelberg 2005

Breitenbach, Jochen: Polizei-Sonderwagen, Geschichte und Einsatz. Ernst J. Dohany Verlag, Groß-Umstadt 1990

Heemann, Günter und Meyer, Günther: Historisches vom Strom – Die deutschen Wasserschutzpolizeien. Verlag Dr. Neufang KG, Gelsenkirchen 2000

Schmidt, Achim: Polizeifahrzeuge in Deutschland 1945 bis heute. Podszun Verlag, Brilon 1998

Schmidt, Achim und Schwarz, Kai: Die Fahrzeuge der Polizei. Edition XXL GmbH, Fränkisch-Crumbach 2006

Schwede, Frank: Deutsche Polizeifahrzeuge 1945 bis heute. Motorbuchverlag, Stuttgart 2000

Schwede, Frank: Fahrzeuge des Bundesgrenzschutzes. Motorbuchverlag, Stuttgart 2003

Vetter, Bernd und Vetter, Frank: Deutsche Einsatzhubschrauber. Motorbuchverlag, Stuttgart 2006

Internetseiten:

www.geschichte-wasserschutzpolizei-berlin.de

www.helionline.de

www.police-zone.de

www.polizeiautos.de

www.polizeihubschrauber.de

www.polizeioldtimer.de

www.polizeisammler.de

www.militarypolice.de

www.wasserschutzpolizei.de

sowie Internetrepräsentanzen der Bundespolizei, des »BKA«, sämtlicher Länderpolizeien, des Zolls, sowie von »BAG«, »BFU« und den Ordnungsämtern / Ordnungspolizeien der Städte Dresden, Düsseldorf, Frankfurt/M., Hofheim/Ts., Langen, Mannheim und Offenbach.

Internetrepräsentanzen der Fahrzeug-Hersteller Audi, BMW, Chevrolet, Daimler-Chrysler, Eurocopter, Iveco, Landrover, MAN, Opel, Peugeot, Renault, Volkswagen, sowie Yamaha.

Bildnachweis:

Für dieses Buch haben dankenswerter Weise folgende Behörden, Hersteller und Privatpersonen Bildmaterial zur Verfügung gestellt:

Bundesamt für Güterverkehr, Köln, Gaby Meyerhof

Bundespolizei, Bundespolizeipräsidium See, Neustadt, Herr Kramer

Bundespolizei, Fliegergruppe – Presse- und Öffentlichkeitsarbeit, St. Augustin, Ralf Schnurr

Bundesstelle für Flugunfalluntersuchung, Braunschweig, Uwe Berndt

Bundeswehr, Feldjägerbataillon 251, Mainz, OStFw Schmitt

Drohm, Carsten, Trebbin

Eggebrecht, Peter (†), Berlin

Eurocopter Deutschland GmbH, München, Christina Gotzhein

Gausmann, Heinz, Hasbergen

Gottung, Christoph, Harxheim

Hedram, Helmut, Heiligenhafen

Heeren, Udo, Drensteinfurt

Hessisches Bereitschaftspolizeipräsidium – Wasserschutzpolizeistation Rüdesheim, POK B. Spoo

Hessisches Bereitschaftspolizeipräsidium – Polizeihubschrauberstaffel Hessen, Egelsbach, PK Alexander Schild

Intax GmbH, Oldenburg

Jörns, Martin, Barsbüttel

Landespolizeidirektion Sachsen – Zentrale Dienste, Dresden, Frau B. Schmieder

Landespolizeidirektion Saarland, Saarbrücken, Direktor der LPD Paul Haben

Liebs, Christian, Hofheim am Taunus

Neumann, Heino, Berlin

Ordnungsamt Dresden, Herr Beth

Ordnungsamt Mannheim, Gabi Klumb

Ordnungspolizei Offenbach, Wolfgang Schickedanz

Ortspolizeibehörde Bremerhaven, Wolfgang Harlos

Polizeidirektion für Aus- und Fortbildung für die Bereitschaftspolizei Schleswig-Holstein, Sachgebiet 11, Eutin, Dietmar Augstein

Polizeihubschrauberstaffel Baden-Württemberg, Stuttgart, Manfred Heine

Polizeihubschrauberstaffel Bayern, München, PHK Ralf Meggle

Polizeihubschrauberstaffel Brandenburg, Flughafen Diepensee, PHM Andres Schulze

Polizeihubschrauberstaffel Niedersachsen, Hannover, Herr O. Kurok

Polizeihubschrauberstaffel Thüringen, Erfurt, EPHK Hering und POM Dirk Schmidt

Polizeipräsidium Bochum – Pressestelle – Wolfgang Schütte

Polizeipräsidium München – ZD 9, Uli Lother

Polizeipräsidium Oberbayern – Team Doku, München, Rudolf Strauß

Polizeipräsidium Schwaben – Pressestelle, Polizeidirektion Augsburg, PHK Manfred Gottschalk

Polizeipräsidium Schwaben, Polizeidirektion Krumbach, Autobahnpolizeistation Memmingen, PHK Michael Dienst

Präsidium der Wasserschutzpolizei Nordrhein-Westfalen, Duisburg, Jürgen Kraschewski

Schmidt, Achim, Hofheim am Taunus

Scholz, Peter, Wendorf

Szamatulski Automobile GmbH, Rödermark-Urberach, Stefan Piepenbrink

Wasserschutzpolizei Berlin, PHK Olaf Wedekind

Wasserschutzpolizeirevier Heiligenhafen, Thorsten Bahr

Wasserschutzpolizeiwache Potsdam, Herr Kriening

Wehdemeier, Holger, Cuxhaven

Zentraldienst der Polizei des Landes Brandenburg – Bereich Technik und Logistik (TL 2.11), Wünsdorf, Michael Schüler

Zoll – Bildungszentrum der Bundesfinanzverwaltung – Foto- und Videoproduktion – Münster, Ulrich Windscheid

Zoll – Finanzkontrolle Schwarzarbeit, Köln, Klaus Salzsieder

Zoll – Oberfinanzdirektion Karlsruhe – ZuV – Abteilung Freiburg i.Br., Marco Velten

Sollte hier jemand vergessen worden sein, so bittet der Autor hiermit um Vergebung – es geschah bestimmt nicht mit Absicht.
Aufgrund der Anzahl des gesichteten Bildmaterials sind solche Fehler aber nicht gänzlich auszuschließen.